SAULO RIBEIRO

livre!

O que o dependente e sua família precisam saber para vencer o vício e suas consequências

Os textos das referências bíblicas foram extraídos da *Nova Versão Transformadora* (NVT), da Editora Mundo Cristão, salvo indicação específica. Usado com permissão da Tyndale House Publishers, Inc. Eventuais destaques nos textos bíblicos e citações em geral referem-se a grifos do autor.

CIP-Brasil. Catalogação na fonte
Sindicato Nacional dos Editores de Livros, RJ

R372L

Ribeiro, Saulo
Livre!: o que o dependente e sua família precisam saber para vencer o vício e suas consequências / Saulo Ribeiro. – 1. ed. – São Paulo : Mundo Cristão, 2019.
144 p.

ISBN 978-85-433-0352-9

1. Drogas – Abuso – Tratamento. 2. Toxicômanos – Reabilitação. 3. Toxicômanos – Relações com família. I. Título.

18-52189 CDD: 362.293
CDU: 613.83-058.7

Categoria: Cristianismo e sociedade

Publicado no Brasil com todos os direitos reservados por:
Editora Mundo Cristão
Rua Antônio Carlos Tacconi, 69, São Paulo, SP, Brasil, CEP 04810-020
Telefone: (11) 2127-4147
www.mundocristao.com.br

1ª edição: janeiro de 2019

Ao meu Senhor, merecedor da maior honra e glória por ser quem é.

A Sabrina, minha mais sábia e mais bela metade, o melhor presente que Deus poderia me entregar para cuidar, aquela que o Senhor preparou para que meus dias fossem ainda mais felizes. Vale a pena desenhar com você cada detalhe de nossos projetos de futuro.

A Daniel e Pedro, os mais perfeitos frutos, filhos que vão além do que imaginamos.

Sumário

Agradecimentos 9
Apresentação 11
Prefácio 15
Introdução 19

1. Do prazer à escravidão 25
2. Maconha: uma erva natural não pode te prejudicar? 45
3. Álcool: eu bebo sim. Estou vivendo? 63
4. Cigarro: morrendo a cada tragada 77
5. Cocaína: o pó da morte 85
6. *Crack*: pesadelo em forma de pedra 97
7. Drogas sintéticas: viagens alucinantes e perigosas 107
8. Codependência: quando o vício adoece os que estão ao redor 117

Conclusão 135
Notas 137
Sobre o autor 141

Agradecimentos

Aos meus pais, Nonato e Vera, os mais dedicados mestres que um aluno poderia desejar.

A Renata, Sarah e Daniel (*in memorian*), os melhores irmãos que alguém poderia ter.

Aos meus sogros, cunhados, primos, tios e sobrinhos, uma família que reflete a graça de Cristo em minha vida.

Aos líderes de jovens casais da Cidade Viva, que me auxiliam de forma tão excelente no pastoreio de tanta gente preciosa.

Aos líderes do Cuidado Comunitário, ministérios sociais da Cidade Viva, vocês são nossa melhor referência da prática do amor de Cristo pelo excluído, dando-me o indescritível privilégio de liderar servos com tanto potencial.

Ao Pastor Sérgio e a sua esposa, Samara Queiroz, pelo referencial e pela visão, por, na prática, imitar Cristo dia após dia, influenciando tantas pessoas.

Aos meus irmãos e amigos pastores da Cidade Viva, braço forte no compartilhar de choros e risos.

Aos diversos voluntários da área de prevenção e tratamento de *adicções* da Cidade Viva, em especial Rogério Aragão e Pastor Moisés Lima, homens com quem aprendo dia após dia.

Aos dependentes químicos cuidados pela Cidade Viva, pelo exemplo heroico.

Ao homem a quem dedico o meu ser, meu futuro e meus sonhos e que, apesar de por tantas vezes eu ser infiel, ainda assim permanece fiel a mim: Jesus Cristo. Ele me livrou da dependência de mim mesmo, do poço profundo da depressão e do desejo de morte, reconciliando-me com o Pai e enchendo-me do Espírito, que me fez liberto e me deu a missão de auxiliar na libertação de outros.

Apresentação

A droga é um monstro voraz, que destrói e mata sem distinção de cor, credo, nível intelectual, *status* social, altura, peso, sexo, profissão, nada. As diferentes substâncias psicoativas que chamamos de "drogas", sejam preparadas a partir de elementos naturais, sejam fabricadas em laboratório, têm em comum o poder de destruir emoções, carreiras, famílias, patrimônios, psiques, corpos, sonhos e tudo mais que estiver à sua frente, incluindo vidas.

Segundo a Organização Mundial da Saúde (OMS), o consumo de drogas ilegais mata 500 mil pessoas por ano no planeta e, de acordo com especialistas, a situação está piorando com a crise de emergência sanitária que alguns países experimentam devido às mortes por *overdose*. Além de sua malignidade para o usuário, sofrem parentes e amigos e, por extensão, toda a sociedade, afinal o dinheiro que o consumidor entrega nas mãos dos traficantes movimenta um comércio ilegal de 320 bilhões de dólares por ano em todo o mundo, o equivalente a mais de um trilhão de reais, conforme dados divulgados pela ONU (Organização das Nações Unidas).

Por seu caráter perverso, o tráfico financia grupos criminosos responsáveis por inumeráveis atos de violência diretos ou indiretos. No Brasil, morrem diariamente traficantes, policiais e vítimas de balas perdidas, sem mencionar os efeitos colaterais que atingem uma incalculável quantidade de pessoas. E a situação não dá sinais de que vai melhorar, tornando a questão da droga uma das maiores forças destruidoras da história da humanidade.

Em meio a toda essa massa de vítimas, corremos o risco de, olhando para o todo, esquecer o indivíduo. E esse é um erro que não podemos cometer. É fundamental lembrar que o drama planetário das drogas é o drama de cada indivíduo escravizado pela maconha, pelo álcool, tabaco, pela cocaína, metanfetamina, pelo LSD e tantas outras substâncias de poder nefasto. São pessoas cuja vida, sonhos e esperanças não raro são interrompidos pelo vício. São mães e pais assolados pela escravidão psíquica ou física de seus filhos. São pessoas. Almas preciosas. E almas são importantíssimas para o Deus que criou cada ser humano e ama o mundo de tal modo que sacrificou o próprio Filho por cada um de nós. Por isso, a droga é um problema que fere diretamente o coração de Deus.

Por entender a gravidade do problema, a Mundo Cristão enxerga a urgência de publicar obras que ajudem usuários e seus familiares e amigos a superarem a tragédia da dependência química e acolhe, com alegria, Saulo Ribeiro em seu time de autores. Com seu profundo conhecimento acadêmico e vasta bagagem de vivências acumuladas na prática diária da recuperação de usuários de drogas e do auxílio às famílias, Saulo acumulou larga experiência no trato com as vítimas de substâncias psicoativas.

Nosso desejo é que esta obra ajude você a compreender melhor o problema, suas causas e consequências, para que possa contribuir mais bem preparado na sua luta pessoal e na coletiva contra os males da droga, seja na prevenção, seja no confronto, seja no tratamento, seja no amparo. Temos a certeza de que da pena de Saulo Ribeiro vêm esclarecimentos valiosos para a sua vida e munição preciosa para que você confronte com segurança e destemor o monstro das drogas — e saia vitorioso.

Boa leitura!

MAURÍCIO ZÁGARI
Editor

Prefácio

Vivemos um tempo complexo e desafiador, em que a quantidade de informação é surpreendentemente grande, enquanto a busca pela sabedoria a ser aplicada às difíceis questões da vida parece estar cada vez mais escassa. Vemos muito, mas enxergamos pouco; ouvimos demais, mas escutamos com dificuldade; desenvolvemos novas tecnologias de velocidade de um jato, mas ainda engatinhamos quando se trata da gestão de emoções e impulsos.

Quando o assunto são as drogas lícitas e ilícitas, a sensação é que navegamos em mares revoltos, geralmente marcados por muita ideologia e pouca ciência, por interesses corporativos que suplantam o bem comum e por discursos demagógicos que não resistem a um simples contraponto. Sem falar que o tema traz consigo outras realidades cruentas, como a violência, o tráfico, as mortes prematuras e a ruptura de relacionamentos.

O livro que você tem em mãos surge exatamente da tentativa de conectar as "pontas soltas" de informação, ciência, fé, experiência e sabedoria prática, formando um todo articulado e útil para a vida de milhões de pessoas que lutam contra esse gigante destruidor, que possui várias faces e se esconde atrás de papelotes coloridos, cortinas de fumaça, garrafas deslumbrantes e propagandas glamorosas. Sem dúvida, o conteúdo deste livro é dos mais sensíveis e, ao mesmo tempo, imprescindíveis para o bom e saudável funcionamento das estruturas familiares e sociais, tão impactadas pelas drogas.

É importante ressaltar que o autor possui todas as credenciais técnicas necessárias para escrever uma obra como esta, pois, além de ser especialista em saúde mental, é também cientista da religião. Tais qualificações lhe permitem transitar de maneira competente e abalizada entre fé e ciência — dois temas que parecem antagônicos —, enquanto respeita e defende a importância de cada esfera e traça caminhos de esperança para os que precisam de ajuda.

Além disso, Saulo Ribeiro disponibiliza um manancial de sabedoria prática ao relatar experiências vividas na própria pele, como alguém que precisou ampliar a cada dia o dom de amar o próximo e lutar pela sua dignificação, enfrentando conflitos, desgastes e decepções. E são exatamente as decepções e as dores sentidas por aqueles que ficaram no meio do caminho que tornam o livro ainda mais confiável, pois os relatos aqui trazidos, longe de serem contos triunfalistas, mostram que a estrada da restauração é muitas vezes longa e espinhosa.

Também não posso deixar de manifestar a alegria de ver transformadas em livro as experiências vividas em um dos primeiros projetos da Fundação Cidade Viva. O que começou em 2004 como um desejo ardente de cuidar de pessoas imersas em diversas situações de vulnerabilidade, entre as quais o tratamento de dependentes químicos, hoje é uma realidade que tem abençoado dezenas de milhares de pessoas por meio das nossas mais de cinquenta áreas de atuação.

Não tenho dúvida de que o presente livro será uma grande fonte de informação e inspiração para um público diverso, formado por professores, profissionais da saúde, líderes comunitários, líderes religiosos e famílias em busca de soluções para esse tão grave problema. E, do mesmo modo, espero que adolescentes e jovens se engajem nessa leitura, a fim de que as falsas sensações de alegria e realização prometidas pelas drogas sejam desmascaradas e seus efeitos danosos, combatidos por toda a sociedade.

Finalmente, a minha oração é que Deus abençoe cada leitor deste livro, dando discernimento e sabedoria para combater esse mal muitas vezes silencioso e implacável, mas que pode ser vencido com auxílio da fé e da ciência.

Sérgio Queiroz
Procurador da Fazenda Nacional, pastor titular da Primeira Igreja Batista do Bessamar, em João Pessoa (PB), presidente da Fundação Cidade Viva e diretor-geral da Faculdade Internacional Cidade Viva.

Introdução

Nos últimos anos, tenho sido convidado com muita frequência para falar sobre o abuso de drogas ou, em termos técnicos, substâncias psicoativas (SPAs). Geralmente, quem comparece a essas aulas e palestras são pesquisadores, professores ou gente envolvida de algum modo com questões científicas relacionadas à dependência química. De vez em quando, encontro um ou outro curioso que resolve parar uns instantes para ouvir, só porque considera o tema interessante. Não raro, falo também para jovens ou adolescentes, que costumam comparecer não necessariamente porque acreditem ser importante aprofundar-se na área, mas porque estão participando de algum evento que, por coincidência, inclui essa palestra. No entanto, não é comum encontrar entre os ouvintes pessoas que sofrem diretamente com as drogas, pois, em geral, elas têm receio de expor seu problema em público. Assim, apesar de haver no Brasil mais de 10 milhões de pessoas que se declaram dependentes químicos e 28 milhões que afirmam ter parentes nessa condição[1], o número de participantes dessas palestras é geralmente limitado.

O mal da dependência de substâncias psicoativas não está longe de cada um de nós, como muitos equivocadamente pensam. Eu me atreveria a cogitar que até mesmo você é dependente químico ou tem na família ou no círculo de amigos alguém que sofre do problema, mas que, por vergonha da exposição, acaba não buscando auxílio. Com isso, os afetados se veem envoltos em dúvidas, e esse desconhecimento é alimentado por informações errôneas ou provém delas. E a falta de conhecimento por parte deles e da sociedade em geral acaba produzindo o preconceito. Aqui está o ponto nevrálgico. Temerosos de se tornarem alvo de pessoas preconceituosas contra quem enfrenta esse mal, dependentes e principalmente codependentes (pessoas próximas dos afetados pelas drogas) resistem a expor o problema.

A triste realidade é que nem todos sabem que essa *adicção*[2] é mais que o uso de drogas. Costumo dizer que a dependência química é apenas uma das manifestações, a ponta do *iceberg* de problemas muito mais profundos, de compulsões que nós, seres humanos, somos tão propensos a desenvolver.

Minha história com a problemática do uso de drogas começou em 1998. Recém-convertido à fé cristã e ainda entrando na fase adulta, um usuário de maconha que também frequentava a igreja veio a mim em busca de ajuda. Apesar de novo, eu já fazia parte do grupo de aconselhamento da igreja, e ele viu em mim alguém em quem podia confiar.

A igreja é um dos melhores lugares para o não cristão procurar ajuda e encontrar amparo nessa área, mas um dos piores para quem já é cristão. As igrejas sabem muito bem como aplicar os ensinos contidos nas Escrituras para trabalhar a valorização do dependente que não conhece a Cristo e deseja ser restaurado, mas não conseguem ver a dependência química como uma doença da qual é difícil libertar-se. A maioria dos cristãos considera impossível que o indivíduo, uma vez convertido, siga lutando contra a dependência, pois, na perspectiva deles, a dependência química é pecado e quem foi encontrado por Cristo venceu o pecado.

Naquela época eu era um jovem com conhecimento superficial da Bíblia e nenhum conhecimento sobre dependência química, portanto acompanhar um cristão que lutava contra o abuso de drogas foi, claro, um desafio imenso. Conheci o lado mais doloroso do acompanhamento de um dependente quando, depois de muitas orações e aconselhamento bíblico e um período de abstinência, a pessoa voltava um dia dizendo que havia fumado maconha novamente. É um golpe duro para os parentes e amigos mais próximos dos dependentes químicos, pois, depois de terem passado pela dor da descoberta do uso, batalhado pela reabilitação e mergulhado na esperança de testemunhar o abandono do vício, enfrentam, desanimados, a tragédia da recaída.

Minha primeira experiência foi traumatizante para mim e, com certeza, gerou naquele rapaz um sentimento extremo de abandono, pois, após algumas semanas de conversas e recaídas, dei-lhe o veredito: "Você não quer nada com Deus. Abandone o seu vício, se conserte e me procure quando decidir mudar!". É desnecessário dizer que ele nunca mais voltou. O que mais me entristece é que, na primeira vez que me procurou, ele estava decidido a mudar, fui eu que não tive a sensibilidade nem o conhecimento necessários para direcioná-lo da maneira correta. Não estou vitimizando aquele homem. O usuário é, sim, responsável pelas suas decisões e deve arcar com as consequências de suas escolhas. Mas, a não ser que se evidencie que o adicto não quer auxílio, abandoná-lo é não agir como cristão, nem como ser humano.

Com o passar dos anos, outras pessoas com problemas semelhantes me procuraram e, aos poucos, comecei a entender que aquela luta não era tão fácil como eu pensara, e como muitos púlpitos ensinavam. Até que, em 2007, recebi o desafio de coordenar uma comunidade terapêutica: o Centro de Reabilitação para Dependentes Químicos Cidade Viva, em João Pessoa, na Paraíba. Faltava-me, ainda, embasamento teórico para orientar e acompanhar dependentes químicos de forma eficaz na luta contra o uso de drogas, e minhas novas responsabilidades me levaram a buscar conhecimento científico sobre a questão. As inúmeras experiências que a equipe e eu vivenciávamos com os dependentes e seus familiares foram nos ensinando que, embora casos aparentemente simples possam se revelar muito mais complexos, há esperança e possibilidade de restauração até para os casos mais difíceis. Em um período de dez anos, mais de cinco mil pessoas foram atendidas, instruídas ou tratadas, de forma individual ou coletiva, em nosso centro de reabilitação e em nossos grupos de ajuda mútua. Cada caso é precedido de uma história, e cada história é uma lição sobre o que se deve ou não fazer na luta contra o abuso de drogas.

Meu objetivo ao escrever este livro é oferecer informações fundamentais para quem vive o problema de perto (sejam dependentes, sejam seus parentes ou amigos) e para quem deseja apenas conhecer mais a respeito do universo da dependência química. No fim de cada capítulo, você encontrará perguntas e respostas que poderão orientá-lo em sua luta pessoal contra as substâncias psicoativas ou simplesmente servir para enriquecer seu conhecimento.

Em meio a informações científicas e estatísticas, busquei apresentar histórias reais, que falam de sofrimentos e alegrias, derrotas e vitórias, mas que, no fim, apontam para a mesma conclusão: sempre há uma forma de encontrar uma solução para o que nos incomoda. A questão é descobrir até onde estamos dispostos a mudar a forma de agir ou, o que é mais difícil, nossa perspectiva sobre o que de fato nos aflige.

[1]

Do prazer à escravidão

O hedonismo afirma que a busca pelo prazer é o bem supremo da vida. Apesar de eu ser totalmente contrário a essa teoria, tenho de me render ao fato de que a civilização ocidental do século 21 não apenas concorda com ela, mas sucumbiu a ela e se esforça para que todos pensem e ajam segundo essa cosmovisão.

Pare um pouco e analise: desde as pequenas coisas até as mais complexas, tudo à sua volta é projetado para fazê-lo pensar que o prazer é o seu objetivo. A propaganda, em qualquer mídia, sempre nos conecta à busca pelo prazer. Se você quer encontrar o prazer de ser elogiado, deve vestir a roupa da moda. Se quer ter o prazer de ser tratado de forma diferente, deixe o carro popular de lado e invista seu salário nas prestações do carro recém-lançado. A publicidade tenta diariamente nos convencer de que a vida tem mais prazer quando tomamos aquela cerveja gelada, cercados de gente bonita, em uma praia paradisíaca. E que dizer do sexo? Quase tudo o que se vê na televisão tem o prazer sexual como pano de fundo, pois os impulsos sexuais do ser humano geram audiência para os programas. Tudo é pelo prazer; tudo é para o prazer.

A *adicção* é apenas mais uma das obsessões contra as quais devemos lutar. Muitos não precisam combater a obsessão pela droga e até se consideram mais dignos por isso, mas se escondem atrás de outras compulsões, como pornografia, consumismo, roubo, manipulação e mentiras. São os chamados "adictos secos", pessoas que, embora não usem drogas, vivem de forma tão desequilibrada quanto os que usam. Sua dignidade e história pessoal são destruídas por tais práticas, o que só evidencia a necessidade de lutarmos contra o desequilíbrio no uso dos prazeres a fim de evitar que nos destruam.

No entanto, seria hipocrisia afirmar que precisamos eliminar da vida a busca pelo prazer, pois ele é necessário para alcançar a felicidade, e é felicidade o que todos buscam. Não faria sentido dizer que o ser humano feliz é aquele que não sente prazer. Mas o que tampouco faz sentido é o papel preponderante que a teoria hedonista reserva à busca pelo prazer, fazendo dele o bem supremo, a causa e a finalidade de tudo. A realidade é que, a despeito do que advoga o hedonismo, não precisamos ir até as últimas consequências para obter prazer, numa busca desenfreada pela satisfação. E esse dado é fundamental nesta nossa reflexão, uma vez que a busca pelo prazer é o que está por trás da dependência química. A sensação que a droga desperta no indivíduo é o que a torna tão atraente.

Por isso as campanhas contra o uso de drogas apresentam resultados tão pífios: elas se concentram em ressaltar o caráter destrutivo, danoso das drogas. Ora, não podemos concentrar o combate às drogas no pensamento reducionista de que "droga é algo danoso, ruim", pois, se fosse, ninguém usaria! Na verdade, o efeito que a droga provoca no usuário é muito bom, pois o faz experimentar, naquele momento, prazeres intensos. O que é ruim, danoso são as consequências do uso. O que haveria de ruim em tomar aquela saborosa e refrescante cerveja gelada cercado de gente bonita em uma praia paradisíaca? O problema não está no líquido em si, pois sua ingestão é prazerosa, mas no uso desenfreado e constante (fazendo do usuário um alcoólico), em dirigir alcoolizado, em agredir a esposa durante a bebedeira, em causar danos emocionais aos filhos em situações de embriaguez, em praticar sexo irresponsável nessas circunstâncias, em quadruplicar as chances de se tornar alvo de estupro, no caso de mulheres embriagadas,[1] e tantas outras mazelas sociais que esse e outros pequenos prazeres da vida podem gerar.

O pesquisador americano George E. Howard afirma que o álcool "prejudica o julgamento, entorpece a razão e enfraquece a vontade; ao mesmo tempo, excita os sentidos, inflama as paixões e libera a mais primitiva 'fera', antes contida pelas restrições sociais".[2] Não, as propagandas de cerveja não podem mostrar o que esse singelo prazer também pode gerar de negativo se houver o mínimo de desequilíbrio, porque as propagandas nos vendem prazer — que vem acompanhado da inconsequência.

Quem não se lembra dos famosos caubóis das propagandas de uma conhecida marca de cigarro, que, montados em cavalos, contemplavam o horizonte, solitários, apenas acompanhados pelas tragadas do cigarro, que representava a virilidade dos heróis do velho Oeste? Eric Lawson, David Millar e David McLean foram apenas três dos atores dessas propagandas que morreram de problemas pulmonares decorrentes do uso de tabaco.[3] O mais irônico é que a publicidade da marca buscava justamente popularizar o uso dos cigarros com filtros, cuja propaganda alegava serem menos danosos à saúde.

Os exageros da vida e suas consequências estão totalmente relacionados à busca do prazer. A dependência química resulta da falta de equilíbrio, do excesso, cuja porta de entrada é justamente essa busca pelo prazer. Assim ocorre também com outros males. Por exagerar no prazer do açúcar é que muitos se tornam diabéticos ou obesos; por exagerar no prazer de estar na internet é que muitos desenvolvem inflamações nos tendões. Poderíamos elencar uma série de outras consequências físicas, psicológicas e sociais originadas na falta de moderação e na irresponsabilidade na busca pelo prazer.

A busca por sensações prazerosas nos leva a repetir ações agradáveis, das quais muitas vezes lançamos mão no intuito de fugir de dificuldades, de desafios, do confronto de autoridades a que não queremos nos submeter. O grande problema é que, quando as sensações que nos agradam não provêm de ações responsáveis, moderadas e, principalmente, realizadas segundo o propósito de Deus, a tendência óbvia é que elas nos conduzam à destruição.

Adolescentes e jovens: envolvimento em busca de pertencimento

O que leva um adolescente ou um jovem a usar drogas? Na maioria dos casos, ele se envolve com esse tipo de substâncias para ser aceito em determinado grupo ou obter reconhecimento de seus integrantes, ser valorizado, ouvido. Somos seres sociais, logo, é natural que todos tenhamos desejo de fazer parte de um ajuntamento de pessoas, em especial na adolescência. O processo de transição da juventude para a vida adulta é extremamente complexo, cheio de descobertas e questionamentos e, quando o adolescente encontra pessoas com as quais se identifica, ele busca uma forma de agregar-se àquela comunidade, fazer parte dela. No fim das contas, isso também é busca por prazer.

O problema, contudo, é que muitos adolescentes também são adeptos da chamada inconsequência, que lhes dá a falsa sensação de ser mais sábios que as pessoas que desejam contribuir para maximizar o conhecimento deles. Os motivos que levam o jovem a buscar prazer nas drogas podem ser simples curiosidade, desejo de esquecer problemas, insegurança e frustrações, crise de identidade, falta de perspectiva sobre o futuro e de referências devido sobretudo ao convívio com famílias disfuncionais.

Por isso que, como dissemos, as campanhas contra as drogas que vemos na mídia em geral não funcionam, pois elas começam a tratar a droga promovendo o medo (com afirmações como "drogas matam", "drogas destroem" e coisas assim). Ora, o adolescente gosta de desafios, de mostrar que se destaca perante os outros. Portanto, apenas dizer que algo é perigoso terá pouco resultado. Cada desafio é para ele um motivo a mais para mostrar à sociedade que não tem medo de nada.

Outra forma fracassada de tentar distanciar os adolescentes das drogas é presumir que o uso decorre da falta de conhecimento. Por isso há um investimento maciço em campanhas de esclarecimento, para que, conhecendo o assunto e os riscos a que estão expostos, eles não as usem. Grande engano! Vivemos uma era em que somos bombardeados por informações, de diferentes maneiras. A internet proporcionou aos adolescentes de hoje acesso a mais dados que um idoso do século 19 teve em toda a vida. Ter ou não informação sobre os malefícios das drogas terá efeito mínimo no uso. O problema é bem mais complexo do que se pensa.

Pesquisas recentes realizadas com adolescentes revelaram que nessa fase da vida ocorre o amadurecimento de algumas redes de neurônios e o abandono de outras, menos usadas.[4] Essas redes, formadas por células nervosas que trocam informações entre si, dão início ao amadurecimento nas áreas da linguagem e do processamento de emoções, como o medo. O processo envolvendo as áreas ligadas à tomada de decisões ocorre mais tarde, por isso na adolescência há geralmente muita impulsividade e pouca tomada de decisão embasada em critérios racionais. O resultado é muita exposição a riscos.

A questão é que as mesmas pesquisas comprovaram que, por volta dos 15 anos, os adolescentes conseguem perceber o risco da mesma forma e com a mesma precisão que um adulto. A diferença é que, embora conheçam os riscos decorrentes de suas decisões, ainda não amadureceram plenamente a capacidade de equilibrar o comportamento com essa noção de risco.

E o que a droga tem a ver com isso?

No cérebro mais jovem, há intensa atividade em áreas ligadas à recompensa, que é a sensação de prazer que sentimos quando ganhamos uma disputa, por exemplo. Por isso o adolescente se coloca, por impulso, em algumas situações. Ele pensa somente no prazer final, ainda que muitas pessoas mais velhas o tenham alertado sobre o perigo de realizar determinada atividade. Essa é a razão de um adulto ter tanta dificuldade em convencer um adolescente a não fazer algo. Ele está mais focado nessa sensação de prazer do que no processo de racionalização que fazemos antes de tomar uma decisão. Ele se anima mais que o adulto quando percebe a possibilidade de sentir prazer em alguma coisa. Nesse caso, o comportamento sofre enorme influência biológica, e é por essa e outras razões que campanhas de prevenção para essa faixa etária devem focar mais em construção de valores, em processos educacionais trabalhados desde a infância do que simplesmente em "não faça isso".

Um dos principais aspectos para alcançar resultados eficazes na prevenção contra o uso de drogas é começar desde cedo. Há alguns anos trabalho com atendimento a dependentes de idades diversas e como professor de alunos do Ensino

Médio, mas também trabalhei um bom tempo com alunos do Ensino Fundamental. Dentre os estudantes envolvidos com substâncias psicoativas, um percentual imenso está inserido em estruturas familiares disfuncionais. Mais à frente veremos como esse fator é fundamental para que crianças apresentem, no futuro, problemas com drogas. Apesar de, em muitos casos, os pais terem oferecido todo o suporte necessário, ainda assim experimentam o desgosto de ver os filhos envolvidos no uso. Assim, cabe salientar que a estrutura familiar equilibrada, o diálogo sobre os perigos das drogas e o valor à vida ainda quando criança diminuem de forma gritante os riscos do uso posterior.

As principais pesquisas sobre o uso de drogas por crianças no Brasil começaram nas décadas de 1980 e 1990, realizadas pelo Centro Brasileiro de Informações sobre Drogas Psicotrópicas (Cebrid), abrangendo seis capitais brasileiras. Esse estudo analisou crianças de rua, enquanto as pesquisas realizadas com usuários em geral focam no problema a partir da adolescência, devido à baixa incidência de uso de drogas entre crianças que não estejam nas ruas.

Em 2003, no entanto, o estudo se intensificou e passou a englobar todas as 27 capitais brasileiras. Foram entrevistadas quase três mil crianças e jovens de até 18 anos. A pesquisa concluiu que o rompimento do vínculo familiar foi o fator que apresentou maior relação com o uso diário de drogas. Entre as crianças e os jovens pesquisados, apenas 20% daqueles que moravam com a família, embora passassem boa parte do tempo nas ruas, revelaram usar drogas, enquanto entre aqueles que haviam rompido o vínculo familiar o índice de uso foi de quase 73%. Sem dúvida, a família se mostra um fator de proteção fundamental na prevenção contra o uso de drogas entre crianças e jovens.[5]

Adicção entre adultos e idosos

Entre os adultos, a cada dia aumentam os casos de abuso de drogas entre pais e profissionais maduros, com estrutura familiar relativamente equilibrada e sem grandes problemas aparentes. Poucos meses depois de eu começar a coordenar o Centro de Reabilitação para Dependentes Químicos Cidade Viva, recebemos um caso que, surpreendentemente, viria a se tornar comum nesse perfil: Josué tinha 35 anos quando se tornou dependente de *crack,* sem apresentar histórico de dependência de nenhuma outra substância. Ele já tinha até experimentado maconha quando adolescente e gostava de ingerir álcool com os amigos em um ou outro fim de semana, mas nada que preocupasse. Microempresário, pai de duas crianças, em uma relação relativamente estável com a esposa, aparentemente não havia motivo para seu envolvimento com uma droga tão destrutiva.

Logo no primeiro atendimento, Josué queixou-se de que "faltava algo". Esse "algo" chegou quando, durante uma viagem a negócios, resolveu viver uma aventura extraconjugal com uma garota de programa. Após o sexo, ela tirou uma espécie de cachimbo e fumou ao seu lado. Ele acabou experimentando e a sensação de prazer foi muito grande. Naquela noite, ele fumou apenas uma pedra e teve medo de continuar. Passados alguns dias de seu retorno para casa, ele quis repetir a sensação experimentada ao fumar a droga.

Em pouco tempo, sua vida desmoronou. Quando chegou ao centro de reabilitação, Josué não tinha mais empresa, família nem dignidade. É aqui que a causa, a origem do problema, se repete: essa "coisa" que faltava a Josué era o prazer a mais, o prazer que ele conheceu na primeira tragada ao lado da prostituta e que voltou a buscar na ânsia de o manter por toda a vida.

Mas o uso de drogas não é uma exclusividade de jovens e adultos. A terceira idade também sofre com a problemática. Segundo dados do Instituto Brasileiro de Geografia e Estatística (IBGE), o Brasil conta hoje com aproximadamente 13 milhões de indivíduos com mais de 60 anos. Esse grupo é o que cresce mais rapidamente no país. A estimativa é que nos próximos 25 anos o número de idosos duplique, estabelecendo de forma definitiva uma revolução demográfica em nosso país, considerado jovem até pouco tempo.

Dentro desse contexto, o número de idosos que usam drogas também cresce a cada dia, apesar de ser esse um cenário ainda pouco explorado pelos pesquisadores. Em sua maioria, os idosos buscam as drogas principalmente para encontrar prazer que os ajude a suportar a vida de sofrimentos oriundos da idade avançada, suportar a solidão, problemas de saúde ou financeiros.

A droga mais utilizada por esse grupo ainda é o álcool. Pesquisas mostram que 6% a 11% dos pacientes idosos acolhidos em hospitais gerais apresentam sintomas de dependência de álcool. As estimativas de admissão por alcoolismo nos serviços de emergência são comparadas às por infarto. Apesar disso, as equipes hospitalares informam que o número de casos de alcoolismo em idosos é menor que entre pacientes mais jovens.[6]

Segundo pesquisa recente, 12% dos entrevistados acima de 60 anos foram classificados como bebedores pesados, aqueles que consomem mais de sete doses de álcool por semana (uma dose contém aproximadamente 14 gramas de álcool puro, o equivalente a uma lata de cerveja de 355 mililitros, uma taça de vinho de 150 mililitros ou uma dose de bebida destilada de 45 mililitros); 10,4% dos idosos foram considerados bebedores pesados episódicos (que bebem mais de três doses em uma única ocasião) e cerca de 3% foram diagnosticados como dependentes.[7]

Na maioria dos casos, o idoso tende a utilizar o álcool como automedicação, buscando aliviar dores físicas e emocionais, ambas relacionadas à idade. Em outros incontáveis casos, beber vem acompanhado da dependência do tabaco, que traz consigo os muitos malefícios da substância, o que piora as condições de saúde do usuário. Além disso, acrescente-se o fato de que essa população tende a consumir muitos medicamentos de uso contínuo, e é prática comum nesse público misturar medicamento com álcool, o que, em alguns casos, pode até levar à morte.

Além dessa relação com o álcool, aumenta a cada dia o uso de outras substâncias pelos idosos, sendo que as principais são nicotina, maconha, cocaína, haxixe e *crack*. Essa última infelizmente tem conseguido conquistar muitos idosos, o que é extremamente preocupante, tendo em vista as consequências devastadoras do consumo desse produto na terceira idade, que vão da aceleração do envelhecimento até a maior incidência de doenças crônicas ligadas à velhice.

A longo prazo, a droga troca prazer momentâneo por destruição, seja com o jovem imaturo em fase de construção, seja com o adulto estabilizado, seja com o idoso calejado pela vida. A droga não escolhe idade, cor, estado civil, condição financeira ou contexto geográfico. O ser humano tende à transgressão e desde a origem somos atraídos pelo que os sentidos identificam como prazeroso. O relato bíblico mostra, desde a origem da humanidade, sinais do uso descontrolado de substâncias criadas não para que nos causassem dano mas para que desfrutássemos delas, nos abençoassem. Assim como não existe sociedade que não pratique pecado, também não existe sociedade sem vícios, sejam vinculados ao uso de drogas sejam à adoção de determinado comportamento.

Muitos não entendem por que é tão grande o número de usuários que voltam a usar drogas depois de um longo tempo "limpos". A questão é que o viciado pode até se distanciar da droga, mas o vício permanece sempre adormecido nele. Qualquer descuido pode levá-lo à recaída.

Infelizmente, assim é o tenebroso mundo das drogas: elas se aproximam de forma sedutora, envolvente, prometendo (e entregando) sensações maravilhosas, alegria irresistível e prazer imensurável, mas traz também terrível escravidão. Quanto maior for o prazer promovido na primeira experiência, maior será a vontade de repetir. Por essa razão, a droga passa a assumir um importante papel na vida do usuário.

Cabe ressaltar que o processo de libertação deve passar por uma revisita ao ponto que dá nome a esse capítulo: se eu me deixo levar pelo prazer, o prazer perderá seu encanto e se transformará em escravidão, mas, se uso de racionalidade, entendo que todo prazer deve ser vivido segundo a perspectiva de como devemos desfrutar dele a fim de que meus dias sejam bons.

[SAIBA MAIS]

1. O que é dependência química? Ela tem cura?

A dependência química é um transtorno mental em que o dependente perde o controle sobre o uso da droga, e consequentemente fragiliza sua vida psíquica, emocional, espiritual, física e social. O ponto de partida para chegar à dependência é a relação de determinada substância com o cérebro, que considera bem-vinda qualquer experiência de recompensa vivenciada, desde brincar com o filho até usar drogas. Não é difícil as pessoas se envolverem com drogas, justamente porque essas substâncias estimulam os neurônios proporcionando a sensação de prazer e levando o cérebro a desenvolver uma compulsão, como a manifestada em ninfomania, cleptomania, vigorexia e transtornos alimentares.

Nem todo usuário de drogas pode ser considerado dependente. Existem quatro tipos de usuários de drogas: o *experimentador* é o que usa apenas uma ou duas vezes, geralmente levado pela curiosidade e abandona a prática após as primeiras experiências. O *recreacional* é quem utiliza a droga esporadicamente, mas que não sente influência positiva ou negativa dela em sua vida. O usuário *habitual* usa a droga sempre, mas consegue se controlar, crendo que ela o faz desenvolver melhor suas habilidades em diversas áreas. E o *dependente*, também chamado de *toxicômano*, é quem não consegue ver sentido na vida sem o uso da droga. Ela passa a interferir em todas as áreas de sua existência, a ponto de ele quebrar qualquer regra para ter a droga consigo. No estágio de dependência, é necessário que a pessoa busque ajuda competente e adequada.

Apesar do preconceito que existe com relação ao dependente, ele não deve ser visto como um "sem-vergonha" que resolveu destruir sua vida ao se entregar à droga. Na maioria dos casos, o dependente quer se libertar. Seu vício deve ser visto como um problema de saúde que necessita de tratamento.

A dependência é considerada uma doença crônica, progressiva e que pode levar à morte. Assim como os diabéticos passam a vida controlando os níveis de açúcar no sangue com medicações e cuidados com a alimentação, o dependente químico deve buscar ajuda para controlar sua *adicção* e precisa cuidar, sempre, de não recair no vício. Embora a ciência considere incurável a dependência de substâncias psicoativas, existe tratamento eficaz a ponto de o dependente tratado conseguir viver normalmente, tomando apenas as precauções típicas — como deixar de ingerir álcool ou usar outras drogas de forma social ou recreativa — de quem foi reabilitado e não quer mais voltar ao estado em que se encontrava. Existe ex-usuário, mas para a ciência não existe ex-dependente, esteja ou não em recuperação, usando ou não algum tipo de droga.

A dependência química é incluída na Classificação Internacional de Doenças (CID), uma publicação da Organização Mundial da Saúde (OMS) que está na décima versão, por isso é conhecida como CID-10. Ela é de suma importância porque estabelece critérios de diagnóstico para os que trabalham com saúde, além de lhes possibilitar e facilitar a comunicação por utilizar a mesma linguagem. A dependência química se insere no código F 19, que classifica os transtornos mentais e comportamentais oriundos do uso de múltiplas drogas e do abuso de substâncias psicoativas. Utilizando o código, os profissionais aumentam a precisão diagnóstica e definem de forma mais assertiva o tratamento mais adequado a cada caso.

O dependente químico não adoece só. No capítulo sobre codependência veremos que essa é uma doença que atinge toda a família: juntos, os familiares adoecem emocionalmente, sendo necessário que todos se tratem, a fim de que saibam como lidar com o dependente e com suas próprias ações e emoções, para que nem desprezem o usuário nem se tornem um "financiador" de seu vício.

2. Toda droga faz mal?

Não. Basicamente há duas definições mais conhecidas sobre o que é droga, mas ambas passam praticamente a mesma informação. Uma definição é internacional, estabelecida pela Organização Mundial de Saúde (OMS), e diz que droga é toda e qualquer substância natural ou sintética que, introduzida no organismo, modifica suas funções, produzindo alterações nas sensações físicas e no emocional do indivíduo.

A definição mais utilizada no Brasil é a da Secretaria Nacional de Políticas sobre Drogas (SENAD), segundo a qual drogas são substâncias que produzem mudanças nas sensações, no grau de consciência e no estado emocional das pessoas. As alterações causadas por essas substâncias variam de acordo com as características do indivíduo que as consome, da droga escolhida, da quantidade, da frequência, das expectativas e das circunstâncias em que é consumida. As drogas que atuam sobre o nosso sistema nervoso central (SNC) são chamadas de "psicotrópicas", junção da palavra "psique" (o que sentimos, pensamos e fazemos) e "trópico", que vem do termo "tropismo", ou "sentir atração por algo". Sendo assim, drogas psicotrópicas atuam no cérebro alterando a maneira de sentir, pensar ou agir.

Compreendendo essas definições, entendemos também que drogas não são apenas aquelas substâncias que estamos acostumados a ver nas notícias policiais ou nas histórias de pessoas viciadas que conhecemos. A aspirina que tomamos quando temos dor de cabeça, o antibiótico utilizado para combater uma infecção, até mesmo o cafezinho pode ser considerado droga, e não apenas a maconha, a cocaína, o *crack* e outras substâncias mais conhecidas.

Existem questões que fazem a diferença no que se refere ao uso de drogas. Uma delas é como cada uma atua no organismo, pois uma mesma droga pode apresentar um potencial diferente em duas pessoas.

Outra diferença é a finalidade de cada uma. O *crack* é utilizado para levar o indivíduo ao êxtase, a sair de sua consciência e sentir determinado tipo de prazer. Já o paracetamol, por exemplo, é consumido para amenizar dores e febre em adultos e crianças, por ser um medicamento de efeito analgésico e antitérmico.

Quando a droga é utilizada com finalidade terapêutica, ela é chamada de medicamento e tem efeito benéfico, mas, quando utilizada de forma a desvirtuar seu propósito inicial, o medicamento passa a ter efeito maléfico. O Rivotril, por exemplo, é um ansiolítico (medicamento que age contra a ansiedade), mas também é usado atualmente por muitas pessoas, no Brasil, de forma descontrolada, o que torna milhares delas dependentes dessa substância. Por isso, qualquer medicamento pode ser chamado de droga, mas, se utilizada corretamente, abençoa nossa vida.

Em contrapartida, nem tudo que chamamos de droga é medicamento. As drogas são catalogadas de acordo com sua ação no cérebro, sendo divididas em três grupos: as depressoras, as estimulantes e as perturbadoras. As drogas *depressoras* são as que reduzem, deprimem, diminuem a atividade cerebral. Quem usa esse tipo de droga geralmente fica com os reflexos mais lentos. São exemplos de drogas depressoras o álcool, os ansiolíticos, os solventes e os soníferos. As drogas *estimulantes* têm como característica o aumento da atividade cerebral, o que deixa o usuário mais atento, elétrico, eufórico e com o pensamento acelerado. São exemplos de drogas estimulantes o *crack*, a cocaína, a nicotina e a cafeína. Por fim, há as drogas *perturbadoras* do sistema nervoso central, fazendo-o funcionar principalmente de forma confusa, perturbada, em vez de acelerar ou deprimir a atividade cerebral. São também chamadas de drogas alucinógenas, que produzem quadros ilusórios ou irreais, geralmente de natureza visual. Os alucinógenos não podem ser utilizados de forma legalizada (como o álcool, a nicotina e a cafeína), nem possuem utilidade clínica (como os calmantes). São exemplos de drogas alucinógenas ou perturbadoras as de origem vegetal, como o THC presente na maconha, alguns tipos de cogumelo, LSD e *ecstasy*.

3. O que leva alguém a usar drogas a ponto de destruir sua família?

Existem diversos motivos que levam as pessoas ao uso de drogas. Cada indivíduo vive um contexto próprio e possui necessidades e impulsos que o levam a agir de forma singular. Suas decisões levam em conta a perspectiva do que ele crê ser mais vantajoso para si. Assim também é com o uso de drogas: alguns escolhem usá-las, outros decidem por ações mais positivas diante de cada situação de sua vida. Vale a pena ressaltar que nem todos aqueles que usam drogas podem ser considerados dependentes, ainda que consumam substâncias consideradas mais pesadas, como a cocaína.

Segundo o que os usuários relatam, os motivos de usar drogas geralmente estão dentro desta lista: curiosidade, desejo de fazer parte de um grupo, fuga dos problemas, busca por novos prazeres, tentativa de esconder a insegurança, novo estilo de vida, novas emoções, questionamento das autoridades, falta de perspectiva de futuro e mudança de humor proporcionada pela substância. Apesar dessa série de razões, reafirmo que tudo nasce da *busca pelo prazer*, pelo desejo de experimentar algo que lhe proporcionará boas sensações.

4. Como ajudar um usuário a deixar o vício?

Quando estudamos uso de drogas, necessariamente temos de analisar o comportamento humano. Parar de usar drogas é um ato de mudança de comportamento, e mudança de comportamento é um processo, de forma que todo mundo que parou de usar passou necessariamente por um processo.

É importante entender que as pessoas só conseguem mudar de atitude quando a maneira de encarar essa ação se altera. No caso da droga isso também ocorre: para mudar é preciso antes entender a necessidade de fazê-lo (salvo raríssimas exceções) e que aquilo que as pessoas percebem como problemático é, de fato, um sério problema.

Alguns pesquisadores apresentaram um modelo de mudança de estágios que é muito utilizado hoje. Nele, observa-se que os indivíduos só decidem mudar de comportamento se estiverem em determinado estágio que os leve a perceber essa necessidade de mudança.

O primeiro estágio é chamado *Fase de pré-contemplação*, quando a pessoa não entende que seu problema é de fato um problema, e por isso não vê necessidade de mudança. O usuário acredita que consegue largar quando quiser e, se não o faz imediatamente, é porque não tem vontade. Na verdade, o usuário age assim por rebeldia, orgulho ou mesmo falta de motivação.

Nesse estágio, o papel do parente ou amigo é manter um discurso empático e tentar jogar a rebeldia para a resolução do problema. Por exemplo, o usuário diz: "Não quero, não preciso, paro quando quiser" e o seu *feedback* deve ser algo como: "Tudo bem, então vamos provar para os que dizem que você é dominado pela droga que você está no controle!". Além disso, apresente riscos sobre o uso de drogas. Não entre no debate de quem tem mais argumentos favoráveis ou contrários, apenas tente levar o usuário a perceber a possibilidade de mudança. Finalmente, não havendo sucesso, siga a máxima: "Se você quer usar, o problema é seu; mas, se quiser parar, eu posso ajudar".

O segundo estágio é a *Fase de contemplação*, quando o usuário chega à conclusão de que precisa deixar de usar determinada substância, mas não quer marcar data para fazê-lo. Esse é o estágio em que geralmente a família alimenta muita esperança de mudança, ao mesmo tempo em que sofre frustração, pois também é o momento em que o usuário, devido à quantidade de reivindicações não atendidas (tais como grande quantidade de informações ou perguntas que, para ele, não foram respondidas), acaba deixando de lado a abstinência da droga. Essa fase é conhecida também como um estado de muita autocomiseração, quando o usuário repete afirmações do tipo: "Como viverei sem a droga?" ou "É muito radicalismo deixar totalmente o uso".

No estágio da contemplação, o ideal é incentivá-lo a falar sobre as vantagens e as desvantagens de seu comportamento atual e desenvolver nele a ideia de que ele pode mudar. Além disso, como o usuário está mais aberto a ouvir, o ideal é encaminhá-lo a grupos de apoio, como Amor exigente, Celebrando a restauração, Alcoólicos anônimos, Narcóticos anônimos, grupos de recuperação ligados à igreja ou àquele que mais se encaixe em seu contexto.

O terceiro estágio é a *Fase de determinação* ou *Fase de preparação*, que inicia quando há a intenção objetiva de mudar o comportamento em relação à droga, ou seja: a pessoa decide pela mudança, e é hora de agir. Nesse estágio, deve ser feito um plano de ação, que dá início ao quarto estágio, a *Fase de ação*, quando tudo deve estar preparado e o tratamento é iniciado. No caso de um fumante, ele inicia a utilização de adesivos de nicotina, por exemplo. No caso de uma internação, a vaga já deve estar garantida, para que o ingresso em uma instituição seja imediato, uma vez que qualquer obstáculo pode reconduzir o usuário ao primeiro ou segundo estágio e fazê-lo desistir.

O penúltimo estágio é a *Fase de manutenção*, quando o usuário geralmente deixa de usar os medicamentos ou quando sai da internação. É importante ressaltar que o tratamento não finaliza, ele apenas muda de formato, havendo agora uma mudança no estilo de vida. Isso é muito mal compreendido, principalmente pelos cristãos, que creem que, pelo fato de seu parente ter passado pelo tratamento, necessariamente está curado, liberto. O grande problema é limitar o problema da dependência a uma questão espiritual, quando estamos falando de uma doença.

Assim como você provavelmente crê, eu também acredito que Deus liberta o dependente, mas assim como o pecador deve fugir de oportunidades que possam reconduzi-lo à prática do pecado, o dependente também deve cuidar para não se colocar em situação de risco novamente. A exemplo do pecador, que é um cristão em processo de crescimento, um ser em recuperação que deve ficar alerta para não cair (1Co 10.12), o dependente também passou por tratamento, está em recuperação e deve viver vigiando para não voltar às trevas de onde foi resgatado.

O último estágio é a *Fase da recaída*, que, apesar de ser considerada uma das fases, pode não ocorrer em alguns casos. Essa é talvez a etapa mais dolorosa, pois traz frustração tanto ao dependente quanto aos familiares. Ela faz brotar em todos o sentimento de derrota e de que toda a luta foi em vão. Isso, porém, não é verdade. O dependente pode passar várias vezes pelos estágios anteriores até atingir a manutenção a longo prazo. Alguns estudos mostram que boa parte dos dependentes químicos (especialmente fumantes e alcoólicos) só consegue ficar livre da dependência depois de três ou quatro tentativas. Após essa fase de retrocessos, normalmente eles voltam ao processo inicial, só que com mais maturidade para a mudança. Nesse ponto, é essencial que haja uma avaliação, a fim de detectar para qual das fases anteriores o adicto regrediu e agir sem discurso de humilhação. Humilhante, lembre-se, é não reagir mais ao vício. Incentive sempre o recomeço.

[2]

Maconha: uma erva natural não pode te prejudicar?

Mário Jorge foi um dos nossos primeiros alunos (como chamamos os pacientes em nosso Centro de Reabilitação). Apesar de ser um homem bem carismático, chegou deprimido, algo que não é raro, pois, como mostrou um levantamento da Unidade Estadual de Álcool e Drogas do Hospital Lacan, em São Bernardo do Campo (SP), metade dos pacientes com alguma dependência química apresenta doenças psíquicas associadas.[1] Seu caso foi um dos poucos de internação em nossa comunidade em decorrência da *adicção* em *Cannabis*, a popular maconha.

Mário foi trazido para o processo de triagem por um pastor que, havia um bom tempo, vinha acompanhando seu declínio devido ao uso da "erva mágica", como alguns a chamavam. Segundo o próprio relato do paciente, ele estava fumando até incríveis sessenta baseados por dia, chegando a não fazer nada além de fumar. Mário desmotivou-se com o namoro, deixou de lado os antigos amigos, abandonou os estudos e os trabalhos em artes plásticas. Parecia que parte dos seus neurônios subia junto com a fumaça, tendo em vista a dificuldade que ele demonstrava em se concentrar. A impressão que tínhamos quando conversávamos com ele era que seus olhos estavam acordados enquanto a mente dormia.

Ao contrário do *crack*, a maconha não sofre muita repulsa pela sociedade, tendo em vista que seus danos não são rápidos e visíveis como os da pedra. No caso da cocaína, a intensidade da mídia quanto aos seus males, seu vínculo com monstros como a AIDS e os outros efeitos geralmente não tão propagados fazem as famílias tremerem diante dela, já que o temor do desconhecido é evidente. O álcool, por sua vez, apesar de ser uma droga socialmente aceita, aparece como vilã quando associada à condução de veículos e motos, e quando se ouvem relatos de famílias destruídas pela violência em que geralmente resulta do abuso do álcool. Mas a mídia é extremamente leniente no que se refere à maconha.

O que se ouve na mídia sobre a maconha? "É natural, não é como o *crack* ou a cocaína, e, se é natural, não faz mal." Uma música do conhecido grupo *Planet Hemp* advoga, erradamente: "Legalize já, legalize já, porque uma erva natural não pode te prejudicar". Até mesmo um ex-presidente brasileiro fala sobre a carga de preconceito que é derramada sobre a maconha e seus usuários e luta pela sua legalização!

A maconha se origina da *Cannabis sativa*, uma planta da família das canabiáceas, cultivada em diferentes regiões do mundo. Há registros de que ela é utilizada há mais de quatro mil anos com finalidades variadas, desde a terapêutica até a recreativa. A partir do estado natural dessa planta, podem ser produzidas duas drogas ilícitas: a maconha e o haxixe.

Quando escutamos alguém dizer que determinada substância é uma droga, geralmente é porque se trata de uma substância psicoativa de ação perturbadora do sistema nervoso central. Na *Cannabis sativa*, a substância ativa com poder narcótico é o ácido delta-9-tetra-hidrocanabinol, ou tetrahidrocanabinol ou, simplesmente, THC. O THC tem o poder de destruir lentamente as capacidades intelectuais do usuário, comprometendo a memória e a habilidade de concentração.[2]

A maconha nada mais é que a mistura das folhas e flores secas da *Cannabis sativa*. Além de fumada, a erva também pode ser ingerida, mas essa forma de utilização é menos usual pelo fato de os efeitos demorarem a surgir (aproximadamente 40 minutos após a ingestão). Quando fumada, o efeito de relaxamento é sentido em menos de cinco minutos, em média.

O uso do haxixe, apesar de comum, é menos divulgado e conhecido, pois as pessoas em geral costumam tratar ambos como maconha, ainda que os efeitos e a forma de utilização sejam diferentes. O haxixe é a resina que fica acumulada nas flores e folhas da planta. Por ser uma espécie de extrato concentrado, no haxixe há bem mais concentração de THC, o que torna seu efeito mais forte que o da maconha. Quando fica seco, o haxixe toma geralmente a forma de uma bolota, sendo tragado por cachimbo. É comum usuários de haxixe misturá-lo com tabaco, mas também pode ser fumado no formato de cigarro.

Em algumas regiões, os usuários chamam o haxixe de "chocolate", como forma de ocultar o consumo. A famosa música *Chocolate*, de Tim Maia, supostamente faz referência às barrinhas marrons de haxixe:

Chocolate! Chocolate! Chocolate!
Eu só quero chocolate.
Só quero chocolate.
Não adianta vir com guaraná para mim,
é chocolate o que eu quero beber.
Não quero pó, não quero rapé, não quero cocaína,
me liguei no chocolate.
Eu me liguei, só quero chocolate.

Efeitos da *Cannabis*

O efeito de cada droga depende da quantidade consumida, do contexto de utilização e da fisiologia de cada usuário, mas, normalmente, sob o efeito do THC, os batimentos cardíacos aumentam, a mucosa da boca sofre sequidão e os olhos ficam avermelhados. A sensação mais procurada é a euforia, seguida de relaxamento, além de sensibilidade ao riso. Durante o uso, ocorre a diminuição da capacidade de atenção, além da contínua dificuldade em calcular tempo e espaço. Em muitos casos, observa-se o aumento da pressão arterial e da frequência cardíaca, a diminuição da pressão intraocular, a dilatação dos brônquios, além de outros efeitos.

Há também uma propensão ao pensamento ser mais rápido que a capacidade de falar, de modo que a fala parece ser mais lenta que o normal. Após aproximadamente uma ou duas horas, a pessoa sente a chamada "larica", que seria uma fome além do usual. A fome é resultado do estímulo do THC a uma região do cérebro chamada hipotálamo, com a liberação de leptina, o hormônio que controla o apetite. Dessa forma, comer também se torna mais prazeroso. Em média, duas horas após o uso, o usuário pode sentir muito sono.

Em doses mais altas, podem ocorrer alucinações, ansiedade e angústia, assim como medo da morte e um pânico inexplicável. Há relatos de incapacidade para o ato sexual. Uma sensação que praticamente todos os que usam maconha dizem ter é a de muita calma, com pouco desejo de manifestar irritação nas situações em que normalmente manifestariam estresse. Esse relaxamento acaba sendo uma desculpa para esquivar-se da responsabilidade de resolver seus problemas. O ideal seria partir para a reeducação emocional, aprender a não depender da maconha para enfrentar estresses, medos e frustrações normais da vida.

Apesar da propagação midiática e dos grupos favoráveis à descriminalização, que advogam a ideia de que a maconha não faz mal à saúde, o THC pode provocar graves consequências físicas e psicológicas, desde maior propensão ao câncer de pulmão e diversas doenças respiratórias até problemas de aprendizagem e desmotivação.

Outro argumento equivocado dos defensores do uso da *Cannabis* é que a maconha não tem poder viciante. Isso é mito. Embora não seja o padrão de consumo mais comum, a dependência da *Cannabis* também pode acontecer, como com qualquer outro tipo de droga. É provado cientificamente que a maconha vicia e provoca dependência psicológica. O que não estava provado até há poucos anos era se a droga poderia provocar dependência física. No entanto, pesquisadores americanos do National Institute of Health (Instituto Nacional da Saúde — NIH) comprovaram que, como outras drogas, a maconha age no sistema de recompensa do cérebro,[3] que, estimulado diretamente, faz o usuário experimentar sensações de euforia e prazer. O desejo de repetir a experiência leva-o, então, a repetir o consumo.

Pesquisas mostram que fumar cinco cigarros de maconha por semana equivale possivelmente ao consumo da mesma quantidade de produtos tóxicos cancerígenos absorvidos por uma pessoa que fuma um maço de cigarros por dia. Se o consumo se repete durante anos, as funções mentais podem sofrer consequências. Algumas pessoas podem ainda desenvolver tolerância à droga, que é a necessidade de, ao longo do tempo, aumentar o consumo da droga para sentir os efeitos antes experimentados com uma quantidade menor.[4]

Outro fator que vale a pena ressaltar é que, segundo pesquisa da Universidade do Mississipi (EUA), a maconha está cada vez mais forte. De 1995 a 2014, os níveis de THC encontrados nas drogas apreendidas aumentaram de 4% para cerca de 12%, o que aumenta os riscos. Segundo o mesmo estudo, o uso da droga na adolescência pode causar danos permanentes aos usuários.[5]

Sempre que você observar frases de efeito do tipo "maconha é natural e faz menos mal que o cigarro", lembre-se de que elas provêm das ideias disseminadas pelos próprios usuários e não de estudos sérios e científicos. Maconha não é menos nociva que tabaco ou álcool, e cada um deles agride o seu usuário à sua maneira.

Dependência da droga ou de Cristo

Podemos definir dependência como o impulso que leva a pessoa a usar uma droga de forma contínua ou periódica, a fim de encontrar prazer. Assim, o vício é caracterizado quando existem três condições:

1. A compulsão na busca por aquela substância ou aquela sensação.
2. O aumento da tolerância, que é a resistência criada pelo organismo à substância, de forma que é necessário aumentar cada vez mais a dose para obter a mesma intensidade de prazer.
3. Síndrome de abstinência, quando o organismo ou a psique do usuário sofre com a falta da substância.

Segundo o psiquiatra Içami Tiba, com base em um levantamento feito a fim de saber quantos usuários se tornam dependentes após o uso de drogas, ficou constatado que metade dos que iniciaram o uso de maconha desenvolveram dependência psicológica.[6]

Além de depressão, o uso crônico de maconha também aumenta os riscos de desenvolver doenças psiquiátricas, como a esquizofrenia. Pessoas que usam maconha por longo tempo e em grande quantidade podem apresentar a *Chronic Cannabis Syndrome* (Síndrome Crônica de *Cannabis*), representada por dificuldades cognitivas responsáveis pela diminuição da eficiência profissional e acadêmica. Por essa razão, muitos desses usuários acabam trabalhando em empregos que exigem menor capacidade de raciocínio e concentração.

Como dissemos, a afirmação de que a maconha é inofensiva e não vicia quase sempre parte do próprio usuário. Não importa a frequência; se alguém não resiste a passar poucos dias sem determinada substância e se sente dominado pelo desejo de consumi-la, ele está, sim, viciado nessa substância.

Mesmo com as questões que apresentamos até agora, a maconha também pode ser usada como agente medicinal. O THC e suas derivações podem ser encontrados em comprimidos, inaladores, adesivos para pele e outros. Entre seus usos, pode ser indicado para tratamento de glaucoma, para reduzir os sintomas da esclerose múltipla, no tratamento de vômitos e outras condições. A questão é que o consumo de maconha que você vê no dia a dia nada tem a ver com o uso medicamentoso do THC. Basta um pouco mais de informação para compreender que se trata de situações completamente diferentes.

De toda forma, o mais comum é ouvir um usuário de maconha afirmar: "Paro quando eu quiser", uma ideia que alimenta a autoestima e a vaidade. Porém, afirmações como essa não passam de falácias para esconder que não há alegria nem paz em sua vida fora das produzidas pela tragada no baseado. Os que mais utilizam essa frase são aqueles que não conseguem viver sem a droga.

Certa vez, conversando com um jovem usuário de maconha havia anos e que insistia em não ser viciado, fiz o seguinte desafio: "Você consegue passar quinze dias tranquilamente sem usar maconha?". A resposta negativa dele não me trouxe nenhuma surpresa. Ora, se o indivíduo sempre necessita de algo externo para ter prazer, se sempre é necessário utilizar uma substância para ter tranquilidade ou aliviar a ansiedade, lamento informar que a droga domina esse indivíduo. Em outras palavras, essa pessoa é dependente dessa substância.

Dependência química sempre remete ao domínio de algo sobre alguém. Tudo aquilo que me domina me transforma em seu escravo, seu servo. É por essa razão que pessoas que se convertem ao cristianismo acham forças adicionais para vencer o vício, uma vez que o relacionamento com Cristo implica ter Jesus (e não a droga) como o seu tudo.

Quem se torna servo de Cristo encontra nele prazer, tem nele a ansiedade apaziguada, encontra nele a paz e o preenchimento do vazio de seu coração. Conhecer o amor de Cristo e andar com ele é ter plena convicção de que vale a pena ser dependente dele, ser dominado por ele, entregar-se totalmente a ele. É mais ou menos esse tipo de relação de dependência exigida da droga para o indivíduo que Jesus exige de nós em relação a ele, com o diferencial de que o primeiro tipo promove destruição, enquanto este último restaura o destruído. Sem Cristo o homem não encontra prazer que valha a pena, sem Cristo não há alegria que traga plena satisfação nem razão objetiva de vida.

Como a maioria das pessoas que usa maconha consegue ter um longo período de uso sem grandes transtornos, criou-se o mito de que não há problemas em usá-la. É mais comum encontrar o usuário eventual, e esse padrão de consumo leva muitos a se apegarem ao discurso do "eu consigo controlar o uso". Entretanto, o padrão de consumo pode mudar sem prévio aviso e a pessoa passar a ter dificuldades de perceber que está em uma fase mais complicada, à beira da escravidão.

A maior propagadora do uso da maconha é justamente a carga de informações erradas divulgada para o grande público. Sem se importar muito com a origem e a qualidade das informações, seus apreciadores, contradizendo o que os melhores especialistas dizem, recebem e passam adiante dados sem fundamento, sem comprovação científica, que camuflam os males da droga e exaltam suas virtudes. Mário Jorge foi uma vítima desse sistema de transmissão de *fake news*. Mas não só isso.

Como na maioria dos casos, no decorrer do tratamento de Mário observamos que a relação com a família era, em grande parte, responsável pela condição dele. A falta de contato com o pai e o complicado relacionamento com a mãe levaram Mário Jorge a desenvolver um sentimento de inferioridade gritante, e a fuga viria a ser o relaxamento promovido pela droga. De fato, a prazerosa sensação da tragada camuflava o inferno que se tornaria sua vida e que acabou por tornar necessária a internação.

Depois de alguns meses de tratamento, Mário Jorge disse que queria sair do CT, contrariando o prazo que os profissionais de nossa instituição haviam determinado, que era de seis a nove meses. Ele nos deixou após quatro meses. Muitos que decidem terminar o tratamento antes da alta dos especialistas não resistem aos impulsos e recaem, pois já quebraram um princípio fundamental para se manter longe da droga: a disciplina. Afinal, se já não estão dispostos a se submeter ao tratamento pelo tempo certo, dificilmente resistirão à tentação da droga.

A diferença no caso de Mário é que, embora decidisse deixar a internação, resolveu continuar sendo acompanhado pelo nosso grupo de ajuda mútua, o Corredor da Vida. Ele e os familiares passaram a participar de nossas reuniões e com o tempo descobriram que todos tinham problemas a ser tratados: ele tinha problema com disciplina e autoestima e seus pais tinham dificuldade em manifestar afeto e cumprir o seu respectivo papel no lar.

Prestar contas a alguém é fundamental na vida dos que querem desenvolver o potencial máximo. Além disso, estar junto de outras pessoas também facilita na luta para se manter limpo e evitar a recaída, pois, como diz a Bíblia: "É melhor serem dois que um, pois um ajuda o outro a alcançar o sucesso. Se um cair, o outro o ajuda a levantar-se. Mas quem cai sem ter quem o ajude está em sérios apuros" (Ec 4.9-10).

Com Mário utilizamos um *coach*, pessoa que tem a função do que também chamamos nas igrejas de "discipulador", isto é, alguém com um pouco mais de experiência e que o auxiliava a combater a recaída. Estar no grupo de ajuda mútua, ter a família cuidada por essa coletividade, ter um ajudador pessoal em quem pudesse confiar e, acima de tudo, estar disposto a lutar com todas as suas forças levaram Mário Jorge a mudar totalmente a perspectiva de futuro.

Após cinco anos e contra todos os prognósticos, Mário permanece limpo e sua família consegue respirar novos ares, mais ainda porque, com mais maturidade, sabem que, mesmo sendo necessário utilizar todos os recursos que a ciência põe à disposição para a reabilitação, não há força maior que a do próprio Criador. Depositar a confiança em Deus trouxe ânimo e levou a família e, principalmente, Mário a perseverarem nessa tão sofrida luta em busca da libertação. Compreendendo o sentido bíblico de que dar é melhor que receber, Mário hoje não apenas continua sendo fortalecido, mas também auxilia na reabilitação de outros no grupo de ajuda mútua Corredor da Vida.

A grande força — maligna — da maconha está justamente no fato de ela conseguir usar máscara de inocente, discurso falso que só faz crescer cada vez mais o público usuário de jovens e adolescentes. Para os familiares que se encontram angustiados, há sempre esperança quando não apenas o usuário mas também a família se abre para o tratamento.

Reconhecer que existe um problema é o primeiro passo para a reabilitação de toda a família.

[SAIBA MAIS]

1. Por que as pessoas usam maconha?

Se perguntar a um usuário, você provavelmente ouvirá uma das duas respostas: "Não sei" ou "Porque me sinto bem". Na realidade, a maioria deles não sabe responder essa pergunta de forma exata.

Geralmente, a pessoa inicia o uso quando, fora de seu local habitual, lhe oferecem o primeiro baseado. Ela acaba aceitando como forma de fazer parte de um grupo do qual ela quer participar. Boa parte desses usuários iniciantes é de jovens que se misturam a consumidores de drogas da mesma idade. Se não tiverem convicções bem sólidas sobre os perigos da droga, acabam experimentando.

O ponto principal é: "Por que continuou usando?". Em geral, a resposta é o desejo de curtir o prazer que a maconha e outras drogas proporcionam. Para eles, vale a pena o risco a discriminação e as outras consequências, pois o prazer que sentem compensa qualquer perda, pelo menos para quem ainda não chegou ao fundo do poço.

2. Como saber se meu filho está usando maconha?

A possibilidade do consumo de drogas é um problema que tira o sono de muitos pais. O acompanhamento de jovens e adolescentes nos leva a concluir que o primeiro contato com drogas lícitas, como álcool e tabaco, se dá aproximadamente aos 12 anos, enquanto o uso de maconha geralmente acontece entre os 14 e 15 anos. Pesquisas não oficiais mostram que aproximadamente 22% dos estudantes já experimentaram drogas ilícitas. Como a maioria dos adolescentes tem na maconha seu primeiro contato com drogas ilícitas, as perguntas que recebemos sobre o tema estão sempre relacionadas a ela, por isso preferimos também focar nela a pergunta, e não em qualquer outra droga.

Para grande parte dos pais, o primeiro indício que os leva a pensar que seus filhos fazem uso da maconha é a descoberta de "mato" nas coisas deles ou, pior, a informação vinda de terceiros. O usuário encontra muitas formas de esconder o vício, e nunca há uma regra padrão para todos os casos. Apesar disso, existem maneiras de identificar o uso de drogas.

A opinião do usuário em relação à descriminalização da maconha se torna evidente, sempre com argumentos que parecem muito bem embasados. O humor muda (geralmente para mais irritadiço e impaciente). Ele começa a se relacionar com pessoas diferentes do habitual, além de demonstrar mudanças físicas, como fadiga, alteração de rotina de sono, mal-estar, dores de cabeça e coisas semelhantes. Outra questão a ser observada é o uso de produtos que escondem o cheiro da droga, como perfumes, incenso e desodorizante de ambientes. Os chicletes e colírios também são muito utilizados para esconder a vermelhidão dos olhos e o hálito da *Cannabis*. Os olhos ficam vermelhos por alguns minutos ou até duas horas após o uso porque o THC dilata as artérias situadas na área branca dos olhos. O colírio faz o olho voltar ao normal em aproximadamente um minuto.

A fala do usuário de maconha costuma ficar pastosa, vagarosa, devido ao relaxamento provocado nas cordas vocais. A "larica" também é uma característica que facilita a identificação, pois o usuário muda os hábitos alimentares, passando a comer descontroladamente, após o que é tomado por um sono pesado.

Triturar com os dedos folhas de aroma acentuado ou usar muito sabonete também é prática comum aos usuários, para disfarçar o forte cheiro da maconha nas mãos. Além disso, como a ponta dos dedos fica amarelada devido à resina do THC, o usuário pode lixá-las na parede ou no asfalto para disfarçar a cor.

Outro ponto comum aos usuários de maconha é que o círculo de amizades muda. Novos amigos começam a aparecer em casa. Indivíduos até então desconhecidos passam a ser recebidos no quarto, a portas fechadas. Os amigos de infância já não são interessantes, assim como as reuniões de família.

A maconha também provoca lentidão no movimento dos olhos, de modo que o usuário apresenta dificuldades de acompanhar movimentos rápidos, e dilatação da pupila, deixando uma sensação de "desligamento". Além disso, o movimento de abertura e fechamento das pálpebras também fica mais lento, dando a sensação de que a pessoa está com muito sono.

A adolescência é a fase mais propícia e mais arriscada para a entrada no mundo das drogas, tendo em vista ser esse o período em que ocorre uma série de mudanças na estrutura física e a definição da identidade do sujeito. É um ambiente facilitador para a experimentação de substâncias psicoativas. O adolescente passa a não aceitar passivamente as orientações de seus tutores, demonstrando uma clara tendência de identificar-se mais com o grupo de amigos, quase sempre impulsivos.

Quando os pais pressionam o filho, a reação normalmente é argumentar que não há problema em usar, apesar de permanecer negando o uso. Logo, quando fica difícil esconder e os pais encontram drogas no meio dos seus objetos, o usuário se esquiva afirmando que a droga é de um amigo.

Ao serem pegos fumando, a tendência natural é partir para o ataque à sua "individualidade" ou para a defesa da maconha, com respostas do tipo: "Eu uso só uma vez por semana", "ela me deixa mais concentrado", "fico menos estressado" e "não faço mal a ninguém", "faz menos mal que o cigarro". Se houver alguém na família que beba ou fume, certamente será usado como referência negativa de comparação, com frases como: "Fumar maconha causa menos mal que o cigarro que você fuma, que provoca câncer" e "pelo menos não me deixa bêbado, como a bebida que você toma".

Como a mãe geralmente é quem primeiro nota as mudanças, é comum que o usuário fique muito agressivo com ela e use de estratégias de manipulação a fim de que ela se sinta mal por condenar o uso. Esse momento é crucial para que o responsável fique atento e não se torne mais um "financiador" do uso de drogas pelo filho. Os pais ficam confusos porque, ao mesmo tempo em que se sentem frustrados jogando sobre si a culpa e perguntando-se "onde foi que eu errei?", também se sentem mal por não saber se estão sendo omissos ou se estão sendo muito duros com o usuário. É necessário posicionar-se firmemente contra o uso mas sem deixar de ser amoroso com o filho.

Outra indicação de que o filho está usando maconha é a mudança de vocabulário, adotando gírias como: acochar (fumar o cigarro de maconha); "bagulho", erva, charo, gererê, *marijuana* ou beque (maconha ou cigarro de maconha); barrufo (trago de cigarro de maconha); cachimbo da paz (cigarro de maconha compartilhado em grupo); chapado (quando o usuário acabou de usar e tem todos os sinais físicos disso); chocar (enterrar a maconha na areia para evitar o flagrante); dólar (cigarro grosso de maconha); fininho (cigarro fino de maconha); manga rosa (maconha de boa qualidade); marica (aparelho para fumar, podendo ser papelão enrolado ou mesmo caixa de fósforos); puxar (fumar maconha) e sauna (fumar maconha, em grupo, em local fechado).

3. Por quanto tempo a maconha permanece no corpo?

Não há um padrão para o tempo que o corpo mantém vestígios da maconha. O THC é absorvido pelos tecidos gordurosos de vários órgãos do corpo, mas a quantidade de dias dependerá de diversos fatores, entre eles a frequência do uso e a taxa de metabolismo do usuário.

Para os que fumam muito, pode-se encontrar restos da substância até semanas depois de ter usado a droga. Alguém que fuma ocasionalmente terá um resultado positivo de até quatro dias após o uso. Para os que consomem diariamente, ainda são encontrados traços de maconha no organismo até aproximadamente dez dias, apesar de alguns testes já terem encontrado vestígios após um período de mais de trinta dias ou até mesmo de setenta dias, em casos de pessoas que usaram a droga por mais de dez anos.

4. Devo ser favorável à legalização do uso de maconha?

Existe uma diferença sensível entre liberação, descriminalização e legalização do uso da maconha.

Liberar seria abolir qualquer regulamentação para sua produção e venda. Isso seria praticamente impossível de ocorrer no Brasil, tendo em vista que nem mesmo os alimentos têm essa abertura. Podemos dizer que, hoje, o mundo do tráfico de drogas funciona dessa forma, sem nenhuma regulamentação.

Descriminalizar é fazer o consumo de drogas deixar de ter caráter delituoso, sem torná-lo necessariamente lícito. Esse caso refere-se apenas ao âmbito jurídico, de modo que não seria mais tema da esfera penal. É algo semelhante ao que ocorre com as infrações de trânsito (com exceção dos acidentes com vítimas), saindo do ilícito penal para sanção civil ou administrativa.

Legalizar seria abolir as penalidades que hoje recaem sobre quem utiliza a maconha. Nessa situação, as drogas poderiam ser consumidas e distribuídas livremente, permitindo-se a publicidade, como ocorre com o álcool, de forma que seria criado um mercado para produção, comercialização e consumo, como qualquer outro produto. Assim, a legalização é uma medida pelo fim da atual proibição.

Entendido isso, me posiciono contra a legalização por uma série de motivos. Posso sintetizá-los dizendo que sou contra qualquer medida que possibilite o aumento do consumo. Legalizar ou descriminalizar drogas é aumentar ainda mais a possibilidade do uso, principalmente entre jovens e adolescentes, já que muitos ainda têm medo de usar pelo simples fato de serem substâncias proibidas e, como dissemos, passíveis de punição.

Com a legalização, haveria não só o aumento do número de usuários, mas também da quantidade de internações em clínicas e das possibilidades de levar o jovem a ingressar no mundo de drogas mais pesadas, uma vez que a relação entre uso de maconha e outras substâncias é evidente. Muitas vezes o usuário é iniciado no *mesclado* ou *melado*, que é a mistura da maconha com o *crack*, sem sequer se dar conta, pois a mistura é preparada e compartilhada por outros. Ele só perceberá depois de já ter experimentado algumas vezes.

Mas existe ainda outra questão, que seria legalizar mais um mal social. Quando os apoiadores da legalização comparam o uso de cigarro e álcool com o de maconha, dizendo que "álcool e cigarro também fazem mal e são liberados", eu costumo responder: "Não bastasse os malefícios deles, você quer mais um câncer social legalizado?". Costumamos colocar o que é ruim como referência para as outras coisas, mas isso é infantilizar o problema.

O psiquiatra Ronaldo Laranjeira, uma das maiores autoridades em dependência química no Brasil, expõe resultados de pesquisas bem interessantes. Segundo ele, uma das pesquisas mostra que 10% daqueles que experimentam maconha desenvolvem algum tipo de transtorno mental. Logo, liberar o uso provavelmente também resultaria em mais investimento em tratamento de pessoas com transtornos. Ainda segundo Laranjeira, com a liberação, o número de usuários subiria de estimados 5% para 15% dos brasileiros. Na Suécia, o exemplo é outro: "A liberação nos anos 1960 impulsionou o consumo e fez o país voltar atrás, passando a punir traficantes e usuários para retomar o controle da situação", afirma.[7]

Muitos afirmam: "Se você é contra, não use, mas não interfira no direito do outro de usar o que ele bem quiser, pois é uma questão particular". Aqui está outro grande erro: achar que o uso de drogas é um "problema particular". É, sem dúvida, um problema social e deve ser visto como tal. Não se trata de um problema coletivo apenas porque muitas pessoas usam, mas porque os danos são coletivos e não só particulares. Segundo dados informais, para cada usuário são atingidas, direta ou indiretamente, cerca de quinze pessoas. Isso inclui vítimas de violência e roubo para pagamento de dívidas de drogas, indivíduos assassinados por reagirem ao assaltante sob o efeito de drogas, e coisas assim. O dependente químico interfere, no mínimo, na vida de todos os que moram com ele. Faça as contas!

O problema é que não paramos para pensar nesses números, por isso corroboramos um discurso politicamente correto e permissivo, achando que se trata de uma questão individual, quando, na verdade, não é. Pense bem todas as vezes em que você apoiar a liberação do uso de drogas acreditando que só quem se prejudica é o próprio usuário, pois um dia o resultado disso baterá na porta do seu vizinho, do seu parente próximo ou na sua mesmo. Basta pesquisar na internet o percentual de crimes relacionados ao uso de drogas e você se surpreenderá.

Drogas não trazem nenhum valor positivo à sociedade. Em vez de lutar por políticas de liberação do uso, nossos ativistas deveriam se preocupar em cobrar das autoridades o investimento na prevenção primária contra a violência e na educação contra as drogas a partir da infância, além de programas sociais, ensino profissionalizante, geração de emprego e renda. As possibilidades de aproveitamento de tempo no que é útil tem mais eficácia na diminuição da violência e na melhoria da saúde pública do que a luta pela legalização de algo que só traz danos.

[3]

Álcool: eu bebo sim. Estou vivendo?

O primeiro interno de nosso Centro de Reabilitação foi um morador de rua viciado em álcool. Edvan era alcoólico e isso o levou a destruir sua saúde e a perder emprego, amigos e família. Na época, ele vivia de bicos em uma borracharia, fazendo consertos em pneus e tambores com as peças que não eram mais utilizáveis. Conversando com um voluntário, membro da nossa igreja, Edvan pediu ajuda e disse que não conseguia mais prosseguir daquela forma, pois vivia para o vício e por isso desejava matar-se.

O álcool escravizava a vida de Edvan. Ele praticamente já nem sentia o prazer inicial do uso, e o pouco prazer que ainda surgia logo desaparecia pelo efeito rebote. Permita-me explicar o que é esse efeito. Quando estudamos os resultados do abuso de substâncias ou convivemos com usuários, notamos na prática a diferença entre o efeito imediato e o efeito cumulativo do uso de drogas. Geralmente, quando uma pessoa ansiosa fuma maconha, o que se observa é o relaxamento, um efeito de curto prazo, muito semelhante ao do álcool. Porém, com o tempo e o uso crônico das substâncias psicoativas, pessoas ansiosas têm a ansiedade intensificada. Esse processo se dá devido à reação do cérebro, chamada homeostase, para manter o equilíbrio ou a estabilidade do corpo.

Os companheiros de bar se afastavam de Edvan ao perceber sua falta de limites. Além disso, o dinheiro conquistado com os serviços na borracharia logo desaparecia, afundado em copos de cerveja, aguardente ou qualquer outro líquido que contivesse álcool.

A história do relacionamento de Edvan com o álcool era comprovadamente semelhante à de muitos alcoólicos recebidos. Seu pai era viciado, e Edvan cresceu vendo o abuso de álcool como algo muito natural, como parte de sua vida, pois não havia uma reunião de família sequer em que o álcool não estivesse presente. Como em muitos casos, a tristeza, a alegria, a companhia ou a solidão eram motivos para a embriaguez, e essa era uma situação constante na vida dele.

O que acontecia na infância de Edvan não era muito diferente do que acontece com muitas crianças que convivem com o uso de álcool na família. Ela toma refrigerante porque ainda não pode tomar cerveja, mas, em pensamento, aguarda com ansiedade o dia em que crescerá e poderá chegar à tão sonhada liberdade, tomando álcool junto com os adultos. No caso dele e de tantas outras crianças, esse desejo se intensificava quando, com menos de 10 anos, o próprio pai já lhe oferecia uns goles de cerveja. Os amigos riam daquilo e, apesar de inicialmente não aprovar o gosto amargo, passou a pedir um gole em todas as festinhas de aniversário, em casa.

Em seu livro *Juventude e drogas: Anjos caídos*, o psiquiatra Içami Tiba fala da influência da mídia sobre a criança mostrando o álcool como algo positivo e, aos poucos, iniciando-a no consumo: "Lembre-se de um comercial de cerveja. Sempre alegre, cheio de pessoas bonitas e sorridentes, em clima de festa. O *marketing* vende uma imagem positiva da bebida.

De tanto assistir à propaganda, a criança associa cerveja à alegria. Assim como uma cena triste a emociona, a cena alegre a deixa feliz; desperta a vontade de viver aquela alegria".[1]

O perigo da publicidade

Sabemos que a publicidade é uma ferramenta extremamente eficaz e o principal meio de a sociedade capitalista atingir seu objetivo de levar as pessoas a consumir. No entanto, quando se trata de consumo de álcool, a propaganda nunca deixa espaço para a realidade do que a bebida vem provocando na sociedade. Em 2013, para citar um exemplo, foi divulgado o resultado de uma pesquisa do Governo Federal que relaciona o álcool a mais de 20% dos acidentes de trânsito no Brasil. Não bastasse isso, 75% dos acidentes automobilísticos com morte têm o álcool como responsável. Os acidentes de trânsito são uma das maiores causas de mortalidade entre jovens com menos de 35 anos. Entre a população masculina nessa faixa etária, o trânsito é a primeira causa de morte em nosso país.[2]

As consequências negativas do abuso de álcool são muitas. Estatísticas internacionais mostram que em até 66% dos casos de homicídios e agressão, o agressor, a vítima ou ambos haviam ingerido bebidas alcoólicas. As bebidas também estão envolvidas em até metade dos casos de estupro.[3] Uma pesquisa do Centro Brasileiro de Informações sobre Drogas Psicotrópicas, da Universidade Federal de São Paulo (Unifesp), revelou que 52% dos casos de violência doméstica no Brasil também estão relacionados ao uso de álcool.[4]

Infelizmente, os números negativos não acabam aí: relatório elaborado pela Organização Mundial da Saúde (OMS) constatou que mais de 2,3 milhões de pessoas morrem por ano no planeta devido a problemas relacionados ao consumo de álcool.[5] As estatísticas no Brasil relacionadas ao consumo de álcool são preocupantes. Estima-se que 84% dos brasileiros bebem ocasionalmente, 21% bebem todos os dias e 19% embriagam-se toda semana. Além disso, 80% dos brasileiros menores de 18 anos já experimentaram bebidas alcoólicas.[6] Segundo dados do Ministério da Saúde, mais de 12% da população brasileira é dependente de bebidas alcoólicas[7] — e sabemos que esse número é bem maior, tendo em vista que muitos dependentes nunca receberam nenhum tipo de atendimento, para esse quadro, no Sistema Único de Saúde.

É claro que os fabricantes de bebidas alcoólicas não mostrariam nas propagandas as consequências do uso prolongado de quantidades elevadas de álcool: o alcoolismo é o quinto responsável pelas consultas ambulatoriais e representa o terceiro maior motivo dos afastamentos do trabalho em todo o país. Segundo pesquisa da Unicamp, a exposição aguda ao álcool está associada a acidentes de transporte, homicídios, suicídios, quedas, queimaduras e afogamento. A exposição crônica por uso prolongado de quantidades elevadas de álcool pode levar a diversos males, como cirrose hepática, doenças cerebrovasculares, pancreatites crônicas, diabetes, pneumonia, e, entre tantos outros problemas, dependência e as inúmeras consequências que dela advêm.[8] Nas animadas propagandas apresentadas na televisão também não há espaço para mostrar outras consequências do abuso de álcool na sociedade e no meio familiar, como era o caso da família de Edvan.

Para a Organização Mundial da Saúde, o indivíduo que sofre de alcoolismo é um bebedor excessivo, cuja dependência vem acompanhada de perturbações mentais, de problemas de saúde, de relacionamento e de comportamento social e econômico.[9]

O álcool é considerado em nossa sociedade um companheiro indispensável. Nas fotos de amigos ele tem lugar privilegiado na mão de quem é descolado. "Mané" (ou "careta") é aquele que não bebe, pois a cerveja é o passaporte para a participação em alguns grupos sociais da galera jovem. Para muitos, festa só é festa se o álcool estiver presente e sábado à noite só é divertido se alguém terminar bêbado.

O fato é que Edvan viveu tudo isso, todo o processo de socialização desregrado e irracional, em que o prazer está estritamente relacionado ao abuso de álcool. No caso dele, o prazer foi vivido até o fim da adolescência, quando ele começou a enxergar as atitudes de seu pai nele mesmo. O que antes era condenável, com o tempo foi sendo tolerado e, por fim, tornou-se parte de sua rotina.

Suportável no início, aos poucos, sua esposa começou a ter medo de seu comportamento violento durante a embriaguez. A situação piorava porque os filhos começavam a conviver com o alcoolismo do pai e também tinham medo da outra personalidade que surgia quando ele estava sob efeito do álcool.

Pela manhã, o desjejum era o álcool; no meio da manhã, Edvan tomava um litro de cerveja. Mais duas garrafas na hora do almoço. No fim da tarde, todo o dinheiro que ele tinha faturado com os consertos na borracharia ia embora. Quando chegava em casa, no começo da noite, o silêncio reinava, pois o pai bêbado não queria barulho e agredia qualquer um que quebrasse essa lei. O rapaz, antes carinhoso, parecia possesso quando estava sob o efeito do álcool. A sensação de sua esposa era que o Edvan com quem ela havia se casado tinha ido embora e provavelmente nunca mais voltaria. Não havia esperança de restauração.

Uma das características da dependência é quase sempre envolver a família de tal forma que ela também adoece — é o que chamamos de codependência.

O conjunto de uma série de problemas que o vício acarretava à família, entre eles o medo que a esposa e os filhos demonstravam de ser agredidos ou mesmo mortos em um momento de crise, levou a mulher de Edvan a pedir-lhe que saísse de casa. Em um dos poucos momentos sóbrio, ele decidiu deixar o lar para morar nos fundos da borracharia onde fazia bicos. Naquele dia, examinando sua situação, percebeu até onde havia chegado, perdendo aquilo que considerava mais valioso. Ver-se tão dependente do álcool como seu pai fora deixava-o ainda mais triste. Observando o horizonte de sua vida, Edvan começava a entender que precisava mudar aquele quadro antes que não houvesse mais possibilidade de reconstrução. Ainda haveria tempo?

No dia que Edvan encontrou um membro de nossa igreja, fazia aproximadamente uma semana que ele estava fora de casa, e tinha plena convicção de que sozinho não conseguiria se libertar. Em lágrimas, ele resumiu sua história, falou do descrédito de todos que o conheciam, da desesperança de sua esposa e de como sua dignidade havia sido tragada pelos goles de álcool. Ele deixou bem claro que não sabia o que fazer e pediu ajuda, considerando aquela a sua última chance de restauração. E foi assim que ele chegou até nosso Centro de Recuperação, em um momento em que a estruturação da instituição não estava concluída.

Grupo de vencedores

Apesar de o uso de *crack* estar em extrema evidência, principalmente devido à rapidez com que a pedra destrói quem a usa, considero o álcool uma das drogas de tratamento mais complexo e com menor índice de reabilitação. Isso se dá principalmente por ser considerado uma droga social, afinal ingerir álcool quase sempre é sinal de *status*, não de vergonha.

Diferentemente das drogas ilícitas, é encontrado com extrema facilidade na esquina de casa, exaltado nas propagandas de TV e, na maioria das vezes, está disponível em qualquer comemoração para a qual o viciado é chamado. Como reabilitar alguém dessa forma?

Outro grande problema é o das famílias desequilibradas. Em muitos casos que acompanhei, a equipe fazia um grande esforço em busca da reabilitação do alcoólico, mas a maior barreira vinha justamente de quem deveria ser seu porto seguro: a própria família. Algumas vezes, o absurdo chegava a ser cômico: como o modelo de nosso Centro é de internação, a família geralmente fica distante do usuário por muitos meses. Portanto, é natural que, ao finalizar o tratamento, seus familiares queiram recebê-lo com festa e alegria pela batalha vencida. Pois bem, nos casos de alguns alcoólicos, após passar meses na luta para se manter longe do álcool, a família o recebia em casa com uma grande festa... cheia de cerveja e cachaça!

Lembro de um dos casos em que, poucas horas após liberarmos o dependente do tratamento, ele nos ligou com voz baixa, pedindo que fôssemos buscá-lo, pois ele estava no banheiro, trancado, lutando para não beber o álcool que estava sobre a mesa e que a família insistia em que ele bebesse, para comemorar o tempo limpo!

O abuso de álcool traz consigo uma série de problemas de saúde, e é considerado, assim como as demais dependências, uma doença crônica, incurável. Por isso, é comum aos grupos de ajuda mútua (como o Alcoólicos Anônimos — AA) que se diga: "Estou limpo há tantos dias, só por hoje" ou "Vivo matando um leão por dia". Essa ideia de viver em perigo é extremamente positiva para o dependente, pois, como também se diz em grupos de AA: "Orgulho é uma excelente madeira para caixão". A partir do momento em que o indivíduo confia demais em sua força, ele está fadado à queda, e não há melhor situação para compreender o que é depender da soberania do Criador.

Entre os muitos males do uso excessivo do álcool, podemos elencar: problemas nos olhos (devido à deficiência de vitamina B1 e zinco, o uso pode causar neurite óptica e até cegueira); inflamação do músculo do coração (cardiomiopatia) e arritmia, podendo ocasionar morte em casos mais graves; câncer de cólon; doenças no fígado (órgão responsável pela eliminação de 95% do álcool ingerido), como cirrose hepática. Além desses, uma série de outros problemas podem originar-se do abuso do álcool, do intestino às vias aéreas, aos órgãos sexuais, boca e sistema imunológico.

Como nosso primeiro aluno, Edvan viveu um contexto atípico de tratamento: o de ser cuidado, pelo menos durante os meses iniciais, de forma individual, o que, apesar de parecer positivo, acabou por ser negativo, pois, com toda a atenção voltada para ele, Edvan passou a mostrar algo muito comum nos dependentes químicos em tratamento: o desejo de ter o mundo focado em seu problema.

Quem tem um parente dependente sabe a dificuldade que é fazer o usuário compreender que as atenções, o cuidado e, principalmente, as finanças não podem estar direcionadas totalmente para ele. Esse egocentrismo tende a, primeiro, dificultar a recuperação do dependente, pois, tendo todas as solicitações respondidas e sendo o centro das atenções, ele geralmente age de forma a continuar sendo o centro, de acordo com o que deve ser feito para a reabilitação, mas conforme o que acha melhor para si. Segundo, o egocentrismo tende a dificultar ainda mais a situação da família, pois, refém do problema, ela tende a corresponder às expectativas do usuário, muitas vezes se endividando e comprometendo toda a estrutura anterior.

Esse foi um dos problemas do nosso primeiro aluno: enquanto era tratado com exclusividade, a situação assemelhava-se à do dependente em uma casa em que todos, sem saber como agir, dão atenção de forma errônea, impedindo-o de sentir o peso da consequência de seus atos. Quando o Centro de Recuperação foi aberto para a participação de outros, dividir o espaço com eles foi muito difícil para Edvan, que preferiu abandonar o centro e voltar para a rua. As últimas notícias que recebi davam conta de que ele dormia bêbado nas calçadas da cidade.

Superar o orgulho e reconhecer suas limitações é um dos maiores desafios de um adicto que busca reabilitação. O ego elevado impede que o dependente se abra para ser ensinado, analisar onde errou e, consequentemente, ser auxiliado no recomeço. Infelizmente, Edvan voltou atrás ainda no começo. Apesar da tristeza com a decisão dele e seu destino incerto, com o tempo tratamos outros casos de alcoólicos. Infelizmente a maioria (aproximadamente 70%) também não conseguiu se recuperar, mas não podemos deixar de celebrar os outros 30%. Entre eles há casos como o de Helton, um senhor que tinha o álcool como fiel companheiro desde a adolescência. Com o tempo, ele intensificou o uso. Décadas depois, casado, pai de alguns filhos e tendo participado de muitos grupos em busca de ajuda, sua família lhe concedeu a última chance.

Helton passou seis meses internado e, nesse tempo, descobriu que seria mais fácil vencer o álcool se colocasse Cristo como seu maior ajudador. No primeiro mês, ele se converteu e passou a lidar com sua doença de forma séria, entendendo que Deus também levantou a ciência para servir aos seus propósitos. Depois de um ano limpo, Helton foi contratado pela

Fundação Cidade Viva e hoje, com a família restaurada e ativa em sua mesma comunidade, ele auxilia na reabilitação de outros companheiros que lutam contra o vício. Glória, sua esposa, também trabalha conosco e participa do grupo familiar, ensinando com o seu exemplo que desistir é a decisão mais cômoda, mas a mais frustrante. Hoje, por causa do exemplo dessa mulher no encontro semanal do grupo, familiares de outros viciados têm o privilégio de aprender a lidar com um parente dependente químico.

O importante é conscientizar-se de que, embora a batalha contra esse vício seja extremamente difícil, podemos sair vitoriosos. Apesar de termos vivido histórias tristes como a de Edvan, casos como o de Helton são como um recado de Deus para nos mostrar que há os outros 30%, e qualquer um pode fazer parte desse grupo de vencedores. Tenha esperança na mudança — sua ou de quem você ama —, pois o mesmo Deus que ressuscitou mortos, curou cegos, fez coxos andarem e move a história é o Deus que reabilita o alcoólico nos dias de hoje.

[SAIBA MAIS]

1. Quais são as causas do alcoolismo?

Para alguns pesquisadores, certos indivíduos têm mais vulnerabilidade genética para desenvolver a dependência do álcool, mas o que se acredita de forma praticamente unânime é que diversos fatores estão relacionados ao vício, como o contexto geográfico em que o indivíduo está inserido, os locais que ele frequenta, sua resiliência para enfrentar dificuldades.

A dependência do álcool não resulta de um motivo específico, mas pode ser consequência de fatores próprios das emoções humanas. O álcool costuma ser um escape para questões como a falta de objetivos, insatisfação com a vida, complexo de inferioridade e dificuldade de enfrentar medos e problemas. Ele se torna uma fonte de prazer, não obtido na rotina do cotidiano.

2. Como saber se alguém é alcoólico ou simplesmente gosta de beber muito?

Segundo pesquisadores da área, pela análise de alguns sintomas é possível diferenciar pessoas que simplesmente gostam de beber dos que são viciados em álcool. Um teste seria tentar parar de beber por uma semana (ou mais). Não conseguir fazê-lo é um forte indício de dependência. Outra forma é observar as respostas às seguintes perguntas: Quando você bebe, geralmente a bebida vem acompanhada de incidentes no lar, como discussões ou atos de agressão? Você acredita que poderia aproveitar melhor sua vida se não bebesse? Nos últimos doze meses, você vem faltando ao trabalho ou chegando atrasado devido à bebida? A produtividade e a qualidade de seu trabalho têm caído devido ao uso de álcool? Você costuma afirmar que para de beber quando quiser, mas nunca consegue fazê-lo?

Ainda que não responda "sim" a todas essas perguntas, se houve alguma resposta positiva já se deve considerar a busca por ajuda especializada.

Para entender de forma mais detalhada como se dá a diferenciação, podemos tomar como parâmetro um índice internacional, como o do National Institute on Alcohol Abuse and Alcoholism (NIAAA), instituto americano de análise de problemas decorrentes do abuso de álcool. Os especialistas do NIAAA estabeleceram uma escala de uso e dependência do álcool baseada na quantidade de doses consumidas, sendo que uma dose de álcool corresponde a uma lata de cerveja de 350 mililitros, 150 mililitros de vinho tinto ou 40 mililitros de bebidas destiladas.

O primeiro nível é o de *consumo moderado*. São homens que não consomem mais que quatro doses por dia nem ultrapassam as catorze doses por semana, ou mulheres que não tomam mais que três doses por dia nem ultrapassam as sete doses por semana.

O segundo nível é o de *bebedores pesados episódicos*. São aqueles que consomem grandes quantidades de álcool em intervalo de duas horas. Geralmente, os homens se encaixam nessa categoria a partir da quinta dose, enquanto as mulheres, a partir da quarta dose. Os riscos para os que se inserem nesse índice são, entre outros, acidentes e ferimentos, além de danos ao fígado e a outros órgãos.

O terceiro nível é o de *consumo pesado*. São homens que consomem mais de quatro doses e mulheres que consomem mais de três doses por dia, mas de forma contínua e não apenas eventual. Em geral, o indivíduo consome álcool repetidamente, por dois ou mais dias, a ponto de intoxicar-se, e negligencia ou deixa de lado as atividades habituais para ingerir álcool.

Com essas informações, podemos dizer, em cinco passos, que o dependente de álcool é aquele que:

1. Não consegue desfrutar de bons momentos sem consumir álcool (precisando também de cada vez mais álcool para alcançar esse prazer, tendo cada vez mais tolerância à quantidade habitual de álcool consumido).
2. Tem continuamente afetadas pelo consumo da bebida as relações familiares, pessoais e profissionais.
3. Passa cada vez mais tempo bebendo álcool.

4. Por mais que repita que consegue parar, não consegue passar poucos dias longe da bebida.
5. Desenvolve a síndrome de abstinência, desenvolvendo sintomas como tremores, agitação e irritação.

Aquele que consome de forma moderada também deve estar atento, pois o álcool, mesmo em pouca quantidade, pode ser perigoso para quem vai conduzir um veículo, operar máquinas, tomar medicamentos que interagem com o álcool, para grávidas ou pessoas que tenham alguma enfermidade passível de ser agravada pelo consumo de álcool.

3. Como ajudar um dependente de álcool?

Se você perceber que seu parente é de fato um alcoólico, o primeiro passo para auxiliá-lo em um processo de reabilitação é buscar conhecimento sobre o assunto. Tendo feito isso, escolha o melhor momento para conversar e demonstre desejo de ajudar. O ideal é que ambos estejam calmos e que ele não esteja alcoolizado. Alguns especialistas recomendam que não se converse após algum conflito causado pela substância, mas eu discordo dessa visão, pois acredito que, dependendo do contexto, pode ser uma excelente oportunidade para mostrar os estragos que o abuso do álcool tem provocado. Em contrapartida, deve haver muita sabedoria para que a decisão quanto à ajuda não seja tomada apenas de forma emotiva, mas, havendo um direcionamento racional, pode ser uma ótima ponte para a restauração.

Outro aspecto a ser observado é que toda conversa sobre reabilitação deve ser realizada em ambiente privado. Nunca tente puxar conversa sobre o tema na rua ou diante de pessoas que não sejam do círculo íntimo do alcoólico, pois a vergonha pode acarretar ações danosas.

Assim como nas outras dependências, nunca diminua a responsabilidade do alcoólico. Ele deve não apenas assumir o seu problema, como estar disposto a assumir as consequências de suas atitudes danosas. A família não deve "passar a mão na cabeça", agir como se ele fosse uma criança inocente, levada por outros ao vício. Da mesma forma, evite tomar para si o peso do erro dele.

Evite agressividade, humilhações ou ameaças. Por mais que o alcoólico esteja em situação de erro e deva arcar com as consequências de suas atitudes, a melhor arma é a demonstração de amor. É importante lembrar que ser firme e assertivo também é demonstração de amor e, em casos como esses, costuma ser a forma mais eficiente de amar.

Esteja pronto para também mudar de postura, evitando ingerir álcool e ser taxado como incentivador do consumo. Incentive a busca por profissionais que possam ajudar na recuperação, motivando, trazendo esperança e animando o alcoólico a participar de reuniões de grupos de ajuda mútua (como o Alcoólicos Anônimos), assim como a internar-se quando indicado por profissional qualificado.

Por fim, entregue essa complexa situação a Deus. Peça que o Senhor oriente toda a família, dando-lhe sabedoria para que saibam tratar o dependente com firmeza e, ao mesmo tempo, com amor. Lembre que Cristo se importa com o seu problema e é capaz de intervir de forma poderosa para que a história que hoje é de tristeza e destruição pelo vício seja transformada em vitória para testemunhar o milagre dele na vida do adicto.

[4]

Cigarro: morrendo a cada tragada

Com o foco principalmente no *crack* e em outras drogas pesadas ou ilícitas, o cigarro perde cada vez mais espaço nos noticiários brasileiros. Apesar disso, tem resistido de pé aos ataques sofridos, em especial nas últimas duas décadas, pelas políticas empreendidas contra o tabaco. Justiça seja feita, temos acertado muito no combate ao tabagismo.

Segundo dados de muitos estudos, entre eles a pesquisa Vigitel 2014 (Vigilância de Fatores de Risco e Proteção para Doenças Crônicas por Inquérito Telefônico), o fumo de cigarro está cada vez menos popular no Brasil. O consumo de cigarro em nosso país caiu mais de 30% de 2006 até agora. Atualmente, cerca de 10,8% dos brasileiros declaram ter o hábito de fumar, sendo 12,8% do total homens e 9% do total mulheres. Em 2006, eram 15,6% os brasileiros que declaravam consumir a substância.[1]

Essa queda resulta de uma série de medidas implementadas nos últimos anos no Brasil e em outros países que contrariam a imagem saudável que as propagandas estranhamente divulgavam sobre o cigarro.

Para a maioria dos historiadores, o tabaco teve origem nos Andes. Desde as primeiras formas de consumo, ele acompanhou as migrações indígenas da América Central para os países que atualmente o consomem. Em 1492, os companheiros de Cristóvão Colombo viram pela primeira vez os índios fumarem. Por essa razão, em 1530, plantas de tabaco foram levadas para a Europa e cultivadas pela família real portuguesa, principalmente devido à crença em seus poderes medicinais. Em 1560, o embaixador da França em Portugal enviou mudas da planta a Paris para a rainha Catarina de Médici, que sofria de enxaqueca. Então ela e todos os demais nobres da corte passaram a fumar tabaco, e com isso o mercado de tabaco em pó (também chamado de rapé) difundiu-se pelos demais países da Europa. Hoje, o tabaco é a cultura agrícola não alimentícia mais importante do planeta.

A imagem do cigarro era um sinal de maturidade e fez parte do imaginário infantil/adolescente principalmente para os que cresceram nas décadas de 1970 a 1990. Nesse período a propaganda do cigarro conheceu o apogeu, relacionando o fumo a esporte, bravura e *glamour*. Os aficionados por Fórmula 1 devem se lembrar que a maioria dos patrocínios vinham das empresas de cigarros, chegando ao ponto de as escuderias patrocinadas passarem a utilizar a cor da marca da empresa de cigarro como a cor padrão dos carros: a Marlboro com a vermelha e branca da McLaren, e a Lotus (com Senna e Piquet como pilotos) amarela e azul, devido à marca Camel.

Fumar representava tanto no imaginário que chegamos ao absurdo de ter uma empresa de chocolates utilizando o formato do cigarro como estratégia de *marketing* para atrair as crianças! A relação era tanta que o maço de cigarros surgia como um passaporte para o mundo adulto e a liberdade, de forma que muitos brincávamos com papéis enrolados, fingindo fumar.

Entre os principais motivos para a queda do consumo do tabaco no Brasil está o aumento do preço dos cigarros. Segundo alguns dados, 62% dos fumantes pensaram em parar de fumar devido ao aumento no valor do produto, mas não só isso.[2] No começo da década de 1970, as primeiras restrições começaram nos Estados Unidos e na Europa, e ao longo dos anos os países que queriam demonstrar preocupação com a qualidade de vida da população tinha de apresentar alguma política voltada ao controle do tabagismo. Por esse motivo, o governo do Brasil começou a regulamentar cada vez mais o ramo, começando pela publicidade. Entre 1988 e 2012, dezenas de medidas foram tomadas no país para incentivar a queda no consumo, desde a obrigatoriedade do uso de frases preventivas nas embalagens de cigarro até a proibição da propaganda de produtos derivados de tabaco em diversos veículos publicitários, passando pela extinção do patrocínio da indústria do cigarro em eventos culturais e esportivos.

Em contrapartida, o motivo de termos demorado tanto para implementar políticas de restrição ao uso de tabaco está justamente no montante de dinheiro que a indústria do fumo deixa para o Brasil. Apesar de o Ministério da Saúde desembolsar em média dois bilhões de reais com tratamentos aplicados às vítimas do tabagismo, o lucro do Governo Federal é de 3,5 bilhões de reais.

4.720 substâncias tóxicas, que causam 50 doenças

Mesmo com a queda do consumo no Brasil, o número de fumantes continua bastante elevado, e o tabaco ainda é considerado uma das primeiras drogas utilizadas na vida. Pesquisas mostram que o cigarro ocupa o segundo lugar no *ranking* de drogas mais experimentadas no país, e a idade média de primeiro contato com a substância, tanto para meninos quanto para meninas, é 16 anos.[3]

Se você não fuma, o cheiro da fumaça do cigarro geralmente provoca grande incômodo. Dos males causados pelo tabaco, o mau cheiro impregnado nas roupas e nos cabelos é o menor. Quando acende o cigarro, o fumante traga apenas parte da fumaça. Aproximadamente 65% dela é lançada no ambiente. Isso afeta quem está em volta, o chamado fumante passivo, que fica exposto aos componentes tóxicos presentes na fumaça do tabaco. O fumo passivo também aumenta em 30% o risco de desenvolver câncer de pulmão e em 24% o risco de infarto. Sete não fumantes morrem diariamente devido ao fumo passivo. Nas crianças fumantes passivas, ocorre maior frequência de resfriados e infecções do ouvido médio, além de terem grande chance de desenvolver diversas doenças respiratórias, como bronquite, pneumonia e asma.

Para quem não fuma, é estranho imaginar que alguém possa ter prazer nessa prática, tendo em vista todas as reações do corpo ao cigarro. A primeira tragada costuma trazer uma sensação muito ruim, ao contrário da maioria das outras drogas, cujo bem-estar provocado convida para uma nova tentativa. Em geral, inicialmente o corpo reage à nicotina inalada com uma sensação de sufocamento, acompanhada de enjoo e gosto desagradável na boca, mas, como muitos fumantes dizem, fumar lhes traz sensação de destaque e de que as pessoas o estão valorizando ou algo parecido. Aos poucos, o tabagista vê no cigarro seu companheiro inseparável, mas de uma relação doentia de extrema necessidade — literalmente, uma dependência.

Ao tragar a fumaça, o fumante põe dentro de seu organismo mais de 4.720 substâncias tóxicas, entre elas o monóxido de carbono (o mesmo gás que o escapamento de seu veículo expele e que pode matar se for inalado) e a nicotina (que é a substância causadora da dependência do tabaco). Isso explica por que o fumante adoece com uma frequência duas vezes maior que o não fumante, apresenta menor desempenho físico e envelhece precocemente.

A dependência do tabaco contribui fortemente para o desenvolvimento de cerca de cinquenta doenças, entre as quais o câncer, doenças pulmonares e cardiovasculares, e é uma das principais causas de mortes evitáveis.

Quando falo para o público de igrejas, é comum ouvir relatos de pessoas recém-convertidas ao cristianismo que sofrem, principalmente, pelo vício do cigarro. Em sua maioria, são pessoas que fumaram durante décadas e, após passarem a seguir Cristo, encontraram grande pressão nas igrejas para se livrarem do vício. No entanto, a pressão dos membros da igreja raramente vem acompanhada de orientações sobre as formas mais eficazes para deixar o vício. A espiritualização de tudo gera tal sofrimento que, por vezes, alguns desenvolvem o "trauma espiritual", ou seja, como o organismo ainda pede pela droga, eles acham que o desejo de fumar é sinal de que não houve entrega total a Deus, o que não é verdade.

Devemos entender que a dependência é uma doença. Se entrarmos na questão teológica, veremos que o vício começa como pecado, pois começa com uma atitude proposital de confronto à vontade de Deus de que não usemos aquilo que prejudica o corpo, o templo do Espírito. A questão é que esse pecado inicial aos poucos provoca uma doença que, não obstante ser consequência do pecado, é algo a ser tratado como patologia, devendo receber todos os cuidados como qualquer enfermidade.

Sendo assim, apesar de Deus ser soberano a ponto de curar doenças e de fazer o que bem quiser, esse mesmo Deus que pode curar também quer usar a ciência para a sua glória. Portanto, procurar tratamento para se livrar de um vício após a conversão não é nada vergonhoso: pelo contrário, é sinal de que o cristão busca fazer a vontade de Deus, livrando-se de qualquer tipo de domínio sobre si, que não o do próprio Deus.

Claro que, para deixar o fumo, nem sempre é necessário acompanhamento psicológico ou ingestão de remédios, você deve conhecer pessoas que deixaram de fumar por esforço próprio. Para alguns, isso é mais fácil que para outros; o importante é saber que cada organismo funciona de uma forma e cada indivíduo tem um contexto próprio, que não pode ser tido como referência absoluta. No caso de necessitar de um profissional, o ideal é procurar pneumologistas, psiquiatras e cardiologistas. Com esse fim, o próprio Sistema Único de Saúde (SUS) disponibiliza profissionais, gratuitamente, como forma de trabalhar a diminuição no consumo.

[SAIBA MAIS]

1. O que causa a dependência do cigarro?

Assim como as outras drogas, o cigarro também possui uma substância principal que leva o usuário à dependência. No caso, essa substância é a nicotina, encontrada em todos os derivados do tabaco (cigarro, cachimbo, cigarro de palha, charuto). A nicotina é uma substância psicoativa e produz a sensação de prazer, que posteriormente levará ao abuso e à dependência.

Como ocorre com outras drogas, ao ser inalada, a nicotina produz alterações no Sistema Nervoso Central, liberando substâncias que estimulam sensações prazerosas e modificam o estado emocional e comportamental dos indivíduos. Se a inalação é contínua e conforme o grau de dependência, cresce também o risco de contrair doenças crônicas que podem levar à invalidez e até à morte.

2. Quais os principais problemas que um fumante pode ter?

Um fumante adoece em média duas vezes mais que um não fumante. O cigarro pode causar cerca de cinquenta doenças, especialmente problemas ligados ao coração e à circulação sanguínea, câncer de vários tipos e doenças respiratórias. As principais doenças são: câncer de pulmão, de boca, de laringe e de estômago; leucemia; enfisema pulmonar; impotência; trombose vascular; bronquite e infecções. Segundo o Ministério da Saúde, o tabaco — em todas as suas formas — também provoca infertilidade masculina, pois prejudica a mobilidade do espermatozoide.

Além disso, o tabaco também causa problemas sociais. Como o cheiro da fumaça do cigarro incomoda principalmente os não fumantes, quem fuma muitas vezes passa pelo constrangimento de ter de se afastar do grupo quando deseja fumar. Também é comum o fumante receber olhares de reprovação assim que acende o cigarro, pois a fumaça alcança um raio de aproximadamente dez metros.

Outra questão refere-se à entrada em vigor em todo o Brasil da Lei Antifumo, que implementou novas regras para a comercialização, a publicidade e o consumo de cigarros no país. Para o fumante, uma das piores medidas foi a extinção dos fumódromos, de modo que fumar passou a ser permitido somente em locais totalmente abertos.

3. Existe tratamento gratuito para quem deseja parar de fumar?

Sim. Nos últimos anos, o Governo Federal, por meio do Ministério da Saúde, tomou uma série de medidas no esforço de buscar diminuir o consumo de tabaco. As secretarias estaduais e municipais de saúde vêm organizando uma rede de unidades do SUS para oferecer tratamento aos fumantes que desejam abandonar o vício.

Esse tratamento é realizado por profissionais de saúde e começa com uma avaliação individual, passando, depois, por consultas ou sessões de grupos de apoio, nas quais o fumante entende o papel nocivo do cigarro em sua vida e é orientado a como deixar de fumar, resistir ao desejo de fazê-lo e, principalmente, como viver sem a nicotina.

Durante essas reuniões, são fornecidos manuais de apoio e medicamentos gratuitos, com o objetivo de reduzir os sintomas da síndrome de abstinência. Na página do Instituto Nacional do Câncer (Inca) há informações sobre onde encontrar ajuda em seu estado ou município.[4]

[5]

Cocaína: o pó da morte

Conheci Oziel quando ele chegou ao nosso Centro de Reabilitação trazido por um policial e pela irmã. Segundo ela nos relatou, a Cidade Viva era sua última esperança de recuperação do irmão. Apesar de o pai ser alcoólico, a mãe de Oziel sempre o aconselhou a não ingerir álcool e seu pai o ameaçava para que não bebesse. O que não adiantou nada. Aos 16 anos, durante uma vaquejada e na companhia de amigos, ele consumiu drogas pela primeira vez — no caso, a maconha. A bebida veio na mesma noite. Como na maioria dos casos, o exemplo dos pais pode ser uma influência negativa ou positiva na prevenção do uso. Em seu livro *Juventude e drogas: Anjos caídos*, o psiquiatra Içami Tiba alerta: "por não conseguirem superar o vício, muitos pais respondem mal a tal situação, chegando a maltratar seus filhos. [...] O que os pais usarem para defender o vício é o que o adolescente usará para defender o seu. Se os pais não conseguirem parar [...] deveriam, pelo menos, não fazer na presença dos filhos".[1]

Após alguns anos de maconha e álcool, Oziel teve contato com a cocaína. Sem saber, os próprios pais financiavam seu vício. No afã de que o filho desenvolvesse o próprio comércio ambulante, o casal entregava-lhe diariamente grandes somas de dinheiro para a compra de mercadorias. Sem ver retorno financeiro, os pais acreditavam que o negócio não prosperava em razão de Oziel não administrar bem as finanças e, por isso, continuavam a financiá-lo, na esperança de que ele conseguisse prosperar. O que eles não sabiam é que o dinheiro era gasto em noites regadas a cachaça e dias polvilhados a cocaína.

Com o tempo, Oziel se casou e teve uma filha, mas o casamento foi abalado principalmente por causa do vício. Oziel cismou que estava sendo traído pela esposa e, após toda uma noite cheirando carreiras de pó, ele foi à churrascaria de um conhecido, pegou uma faca às escondidas, retornou para casa e, depois de um bate-boca acalorado, sacou a faca e desferiu diversas facadas na esposa. Os jornais divulgaram que ele chegou a dar mais de sessenta golpes. Naquela manhã, Oziel estraçalhou não só a esposa, mas, sem se dar conta, destruiu os sogros, a irmã, os pais e a filha.

Na semana em que foi preso, isolado em uma cela da prisão, Oziel caiu em si e, esmagado pela culpa ocasionada pela destruição que provocara, cortou os pulsos e a garganta, na intenção de dar cabo da própria vida. Milagrosamente, ele conseguiu sobreviver à tentativa de suicídio graças à rápida intervenção dos médicos.

Preso e sem dinheiro para pagar os fornecedores, Oziel passou a ter acesso restrito às drogas. Ele agora conseguia analisar sua vida com clareza e passou a acreditar que nada mais tinha valor. Mas, em vez de tomar decisões acertadas, acabou afundando ainda mais. Por meio de um companheiro de cela, Oziel descobriu o *crack*.

Naquela manhã, durante a entrevista de admissão no Centro de Reabilitação, Oziel nos revelou que havia desistido de uma nova tentativa de suicídio quando, durante uma visita de evangélicos ao presídio, um deles havia lhe falado sobre a história de um homem que, assim como ele, fora um assassino, mas que, arrependido, recebera uma nova chance: Paulo de Tarso. Também lhe relataram a trajetória de outro homem que, inocente, havia sido condenado e morto para a salvação dele: Jesus. Oziel nos disse entender que, se Cristo o perdoara, era necessário que ele desse um novo rumo à sua vida — e a Cidade Viva deveria ajudá-lo nessa tarefa.

Quando Oziel saiu da sala, eu me dei conta de que admiti-lo em nossa instituição significaria conviver no mesmo ambiente, durante meses, com um assassino. Corajoso e indiferente por fora, comecei a "bater pino" por dentro. Tempos depois, me dei conta de que aquele seria apenas um dos muitos casos complexos que, se analisados de modo mais racional, teria sido melhor deixar aos cuidados do poder público. Mas, como os governantes não conseguiam fazer o que nos propúnhamos, preferimos muitas vezes deixar a razão de lado e partir para o que o coração nos instigava a fazer.

A mãe de todas as drogas

A cocaína é uma droga estimulante, comercializada sob a forma de um pó branco cristalino, inodoro e de sabor amargo. Para chegar à forma de pó, as folhas de coca (que dão origem à droga) passam por um processo de transformação em pasta de cocaína e esta em cloridrato. Geralmente, a droga é consumida por inalação, mas pode também ser absorvida pelas mucosas (normalmente esfregando as gengivas, mas não é incomum a fricção também na vagina ou no pênis), injetada (geralmente misturada com água) ou fumada. De todas as formas inventadas para o consumo, a maior parte dos usuários prefere aspirar as "carreiras" de pó. Se injetada, o efeito é mais rápido — leva de dez a vinte segundos para produzir euforia — e mais forte. Quando aspirada, esse efeito se manifesta de três a cinco minutos.

A cocaína é originária da folha da planta *Erythroxylon coca*, encontrada nos Andes do Peru. As folhas são utilizadas há séculos pelos nativos, que, ao mastigar ou tomar o chá das folhas, absorvem apenas doses ínfimas de cocaína. Seu uso se dava principalmente para aliviar o cansaço e a falta de ar provocados pela altitude. O que hoje é usado como a droga é o ingrediente ativo da planta da coca, que foi isolado pela primeira vez em 1855 pelo químico alemão Friedrich Gaedcke. Ele a chamou de Eritroxilina, tendo seu nome modificado para cocaína anos depois por Albert Niemann, que desenvolveu um processo de purificação mais eficiente. Apesar de originalmente estar nas folhas do arbusto da coca, ela só tem valor comercial depois de refinada.

Os efeitos estimulantes e anestésicos da cocaína tiveram fins medicamentosos, de forma que ela serviu de base para tônicos e remédios. Sua descoberta foi considerada um grande avanço da medicina, pois era utilizada no tratamento, por exemplo, de quadros depressivos, dores de dente e inflamações. Até mesmo Sigmund Freud, o pai da psicanálise, receitou cocaína a fim de alterar o humor de pacientes que sofriam de depressão e só veio a perceber posteriormente que essa substância causava dependência.

Quando retiradas da natureza, as folhas da coca são postas para secar em um processo rápido, pois, conforme o passar do tempo, o teor de cocaína se perde. Após a secagem, as folhas trituradas são misturadas a gasolina, amônia e outros produtos, recebendo, depois de alguns dias, a adição de cimento, cal e ácido sulfúrico. O resultado desse processo é filtrado e misturado novamente com amônia para formar a pasta base. Uma vez pronta, essa pasta passa por outros processos com solventes e, finalmente, é misturada com talco, sílica, aspirina em pó, farinha, açúcar, fermento, pó de mármore, entre outros, para chegar ao pó branco, flocoso e cristalino. Em volume, essas impurezas atingem de 30% a 70% do peso da cocaína vendida, gerando um lucro bem maior para os traficantes.

Para potencializar seus efeitos e aumentar o volume, e consequentemente o lucro, o pó da cocaína costuma ser adulterado com medicamentos como benzocaína, lidocaína e outros, além de estimulantes. Outro produto que tem sido muito utilizado para adulterar cocaína é o levamisol, também chamado de Ergamisol ou Ascaridil. O levamisol é uma substância usada no combate a vermes que estimula as reações imunológicas do organismo, como uma vacina, sendo utilizado como vermífugo para gado. Essa substância foi retirada do mercado em alguns países devido ao risco de uma série de efeitos tóxicos. A principal causa de os fabricantes misturarem o levamisol à cocaína é porque ele aumenta a quantidade de dopamina liberada no uso, o que aumenta o efeito da droga.

Considerada pelos usuários (chamados cocainômanos) como a mãe de todas as drogas devido aos efeitos que provoca, a droga traz euforia imediata, um sentimento de onipotência, excessiva autoconfiança e indiferença ao cansaço. Passado o efeito, os sintomas mais comuns são profunda tristeza, irritabilidade, fadiga e alterações do sono e do apetite.

Os principais riscos que os usuários de cocaína correm são: desgaste da mucosa do nariz, dificuldades de respiração, arritmia, taquicardia, perda de consciência, tosse sanguinolenta, problemas cardíacos e circulatórios, e acidentes vasculares cerebrais (AVCs). Também podem desenvolver paranoia (ou psicose confundida com esquizofrenia), desmotivação para a vida, síndrome do pânico e diminuição da capacidade de aprendizado.

Estima-se que 80% dos usuários de cocaína apresentem comorbidades psiquiátricas, isto é, doenças e transtornos mentais, que podem ser preexistentes ou desenvolvem-se após o uso frequente da droga. É comum que o cocainômano já tenha um diagnóstico anterior de depressão, ansiedade, esquizofrenia, bipolaridade ou transtornos mentais diversos, de forma que o uso por vezes também é ocasionado como resposta a esses problemas de saúde.

Mulheres grávidas que se tornam dependentes da cocaína estão mais sujeitas a se tornar portadoras de doenças sexualmente transmissíveis e a sofrer aborto espontâneo. É comum que bebês nascidos de mães dependentes apresentem peso abaixo do padrão, e quase sempre são crianças irritadiças, hiperativas e portadoras da síndrome de abstinência de cocaína, herdada das mães. Também podem ser portadoras de defeitos genéticos, como a microcefalia, além de apresentar mais risco de sofrer AVC.

Os casos de *overdose* quase sempre estão ligados à cocaína. O que chamamos de *overdose* é a reação do corpo à alta dosagem de droga, que algumas vezes ocorre ainda no primeiro uso. Ela se manifesta por ataques cardíacos ou convulsões, falência dos rins, aumento da pressão sanguínea, hemorragia cerebral e, em muitos casos, causa a morte.

A abstinência da cocaína costuma se manifestar em três fases. A primeira (chamada pelos usuários de *crash*) ocorre em aproximadamente trinta minutos após o uso, com sintomas como depressão, ansiedade e paranoia seguidos de cansaço. A segunda fase ocorre aproximadamente entre um e três dias após o uso, com quadros de depressão, mal-estar, irritação e desejos suicidas, durando, em média, cinco semanas. A terceira fase (*craving*) pode se estender por meses, e se caracteriza pela recordação do prazer do uso.

Um dos maiores danos da droga para o usuário é o que ela provoca aos relacionamentos, principalmente à família. A fim de alimentar seu vício, o usuário direciona suas ações para a obtenção de mais droga, de modo que as finanças podem evaporar em pouco tempo. O pó é considerado uma das drogas mais difíceis de manter, pois para consumir apenas cocaína o dependente costuma gastar cerca de duzentos reais por dia, uma vez que um grama custa aproximadamente vinte reais.[2]

O privilégio de recomeçar

A situação de Oziel antes da prisão seguia este contexto: uma vida onde só o que fazia sentido era o uso do pó. Entrar no Centro de Reabilitação era a última ponta de esperança de matar dois coelhos com uma cajadada só: reabilitar-se do uso das drogas e sair do ambiente do sistema prisional. O bom comportamento adquirido nos últimos anos somado ao desejo de abandonar o vício contribuiriam para mudar a situação atual para um regime semiaberto.

Os primeiros dois meses foram extremamente difíceis para Oziel e nossa equipe. Ele tinha de aprender a seguir regras sem estar encarcerado, e a equipe tinha de aprender a amar alguém com um histórico como o dele e a auxiliá-lo no processo de restauração da dignidade e de estabelecimento de novas metas para o futuro e a vencer o grande desafio de transformar o passado em página virada.

Em meio às muitas dificuldades, aos poucos os dons de Oziel foram percebidos, e descobrimos que um de seus muitos talentos era o artesanato. Sua primeira obra foi uma réplica do prédio onde funcionava nossa estrutura de tratamento. Com palitos de picolé, cola, tampas de garrafa, tinta e isopor, ele fez seu primeiro trabalho. Finalizado, entregou-me a pequena casa e disse: "Vou doar essa casa para a Cidade Viva como uma modesta retribuição pelo que vocês estão fazendo por mim. Eu nunca terei como pagar a bolsa[3] que vocês me deram. Esse artesanato é símbolo de um recomeço, pois minha retribuição será meu futuro limpo das drogas!". Eu respondi com um "amém" seguido da rotineira orientação: "Mas saiba que será difícil. Você tem de perseverar na luta contra si mesmo!".

Conforme o tempo passava, Oziel compreendia uma série de questões relacionadas à sua visão de mundo e de si mesmo. Aos poucos, ele foi entendendo que precisaria de mais que uma religião para se manter de pé: era preciso ter a dependência de Cristo e seguir todos os passos necessários para a reabilitação, sendo um dos mais importantes a disposição para aprender e para seguir regras. Não foi fácil, como não é fácil reestruturar uma construção realizada durante anos. Acostumado a falar demais, no tratamento ele foi entendendo que ficar calado e ouvir muito é mais sábio. Oziel mudava a cada dia, e isso era perceptível para nós e para os poucos familiares que acompanhavam a evolução de seu tratamento.

A dependência química traz diversas consequências e, como já vimos, uma delas é a social. No caso de Oziel, o crime cometido trouxe uma grande consequência social: como a família de sua mulher era muito influente na cidade, alguns parentes dela prometeram matá-lo. Conhecendo os que o ameaçaram, Oziel acreditou na promessa e passou a viver a tensão de não somente perder a liberdade como forma de punição da Justiça, mas também de, em decorrência das ameaças, perder a liberdade devido ao medo de ir e vir. As relações sociais após a saída da cadeia deveriam ser muito bem pensadas, assim como os locais que frequentaria. Uma frase era repetida no discurso de Oziel: "Eu sei que não posso voltar no tempo, mas, se eu voltasse, queria ter aberto meus olhos para servir a Jesus antes. Porque, se minha vida fosse dele, eu não teria feito tanta besteira e hoje eu também teria a paz externa, porque a interna eu já tenho".

Oziel foi o aluno que mais tempo passou na Centro de Reabilitação, pois, como aguardava a liberação da Justiça para voltar ao presídio ou ter a liberdade condicional autorizada, seu futuro dependia da assinatura e da boa vontade do juiz da vara onde estava o seu processo. Ao chegar ao sétimo mês, percebemos que o tratamento dele fluiria muito melhor fora do centro. Passar mais tempo com ele só dificultaria sua reabilitação, já que voltar a conviver com o mundo externo é um ponto fundamental no processo de recuperação. Pedimos a liberação da Justiça, mas o juiz não atendeu. Como o nosso tempo máximo para tratamento era de nove meses, passar disso era extremamente arriscado, em especial se o aluno teve alta antecipada, como foi o caso de Oziel.

Os meses seguintes foram torturantes para Oziel, pois ele somava a ansiedade de aguardar saber se retornaria ou não ao presídio à dificuldade de continuar um tratamento que já havia sido concluído. Onze meses se passaram e Oziel começou a entrar em estágio de depressão, pois não via esperança de mudança a não ser sair do Centro de Reabilitação de volta para o presídio, que era o seu maior temor. Surpreendentemente, nesse mesmo período ele recebeu uma das melhores notícias de sua vida: ele poderia lutar não mais em um local cercado de celas e presos, tampouco em uma fazenda isolada do mundo; ele havia recebido autorização para voltar a conviver em sociedade.

O dia da saída de Oziel foi de intensa festa, principalmente porque aquele homem vinha de uma história muito triste de descrença: sua família não acreditava em sua restauração, seus amigos apostavam que ele nunca se recuperaria e, o pior, ele mesmo não acreditava — até descobrir que alguém superior e soberano acreditava em seu recomeço, o que o motivou a permanecer de pé.

Dez anos depois, Oziel continua limpo e, com o seu jeito extremamente falante, sempre tem uma palavra de motivação para os que se acham incapazes de ser reabilitados. Desde sua saída do tratamento nunca houve uma recaída e, hoje, ele tem emprego, restaurou sua dignidade, cumpriu a pena e refez sua família. Deus lhe deu a oportunidade e o privilégio de recomeçar e, não obstante toda a sociedade demonstrar descrença quanto à sua restauração, Deus mostrou a Oziel que, se ele mesmo crer e lutar, o Soberano dos céus derrama a força milagrosa capaz de fazer um nascido no álcool, casado com a cocaína e morto pelo *crack* ressuscitar e frutificar.

[SAIBA MAIS]

1. Como identificar se um parente está usando cocaína?

Como vimos, a cocaína pode ser consumida de diferentes maneiras, mas em todas costuma-se usar apetrechos. É possível, portanto, ficar atento a objetos como pequenos espelhos (a superfície preferida para fazer as "carreirinhas" de pó), canudos (alguns preferem inalar o pó utilizando-os, outros preferem utilizar cédulas de dinheiro enroladas), giletes (usada para trituras e fazer as carreiras), seringas (para injetar na veia).

Além dos objetos, sinais físicos também podem ser perceptíveis, como o fato de a pessoa passar a fungar corriqueiramente. Como a cocaína prejudica o canal interno do nariz, é comum que o usuário tenha frequente corrimento nasal, como se estivesse gripado, e sangramento sem causa evidente.

Além disso, a mania de tocar ou limpar o nariz frequentemente também pode ser sinal de uso.

Outro sinal físico são as marcas de agulhas. Como furos são geralmente perceptíveis, muitos usuários costumam injetar nas veias dos pés e, no caso dos homens, até mesmo nas veias do pênis. Olhos vermelhos e lacrimejantes, dilatação das pupilas, boca seca, insônia, problemas de coordenação motora, transpiração em excesso e convulsões também podem ser sinais físicos de uso.

Mas também há sinais comportamentais que denunciam o uso de cocaína. Os principais são hiperatividade, alegria fora do normal, fala em ritmo acelerado, perda de sono ou de apetite e humor instável (momentos de irritação e agressividade intercalados com humor depressivo).

2. O que fazer com um parente viciado em cocaína?

A primeira coisa é munir-se de provas do uso, para dificultar ao máximo a negação durante a conversa. Com as provas, fale tudo, mas sem acusar ou denegrir. Xingamentos e humilhações só pioram o problema. O correto é deixar claro que você está preocupado com a saúde de seu parente. Vá informado sobre locais que podem ajudar você e a ele. Desde Comunidades Terapêuticas, Centros de Atenção Psicossocial (CAPs) e profissionais para atendimento individual. O ideal é já chegar para a conversa com um direcionamento de como o problema poderá ser solucionado.

Caso não se decida por uma internação, por exemplo, leve o dependente a tomar a iniciativa de parar, estabelecendo consequências que você possa cobrar, tais como não permitir o acesso a dinheiro ou suspensão de algumas liberdades, como a permissão para dirigir, por exemplo. Nunca quebre uma regra que você estabeleceu, a não ser que, depois, você conclua que ela mais prejudica que ajuda. Por essa razão, o ideal é já chegar para conversar tendo analisado as formas mais eficazes de disciplina. Preferencialmente, converse com um especialista para direcionar melhor a conversa, até para que, primeiro, vocês possam identificar as causas que levaram seu parente ao consumo.

[6]

Crack: pesadelo em forma de pedra

O *crack* ganhou popularidade na década de 1980, quando seus produtores começaram a dissolver pó de cocaína, misturando-a com bicarbonato de sódio, amônia e outras substâncias, formando a pedra. Com pouca base, eles passaram produzir uma quantidade maior do produto, disponibilizando-o a um preço menor que a cocaína, que, por ser mais cara, tinha acesso limitado. O nome *crack* vem do som da pedra ao ser aquecida no cachimbo.

No Brasil, os primeiros registros sobre a droga datam de 1989, mas ela começou a se tornar conhecida no fim da década de 1990, quando traficantes dos grandes centros começaram a oferecê-la como alternativa para quem desejava algo mais barato que a cocaína. A evolução do consumo chegou a tal ponto que, de acordo com o 2º Levantamento Nacional de Álcool e Drogas, o Brasil é considerado hoje o maior mercado de *crack* no mundo, de forma que, em média, um milhão de brasileiros afirmam já ter fumado a pedra.[1]

Uma pedra de *crack* custa em média dez reais, e é muito fácil ter acesso a ela, já que muitos traficantes também aceitam objetos em troca das pedras (claro que com um preço extremamente aquém do valor real). A questão é que o efeito da droga é muito rápido: dura em média cinco minutos, tempo suficiente para que o pulmão absorva 100% da droga inalada. Quanto mais rápido é o efeito, mais poder de dependência tem a droga, por isso o *crack* é tão devastador. Após a euforia plena que ele provoca, faz brotar no usuário o desejo incontrolável de usar novamente, a fim de prolongar o prazer e evitar a posterior depressão e ansiedade.

Muitos confundem o *crack* com outra droga quase idêntica: o oxi. Enquanto o *crack* tem em sua composição a pasta base da cocaína com a adição de substâncias que a transformam em uma pedra amarelada de fumaça clara, o oxi vendido no Brasil geralmente é composto por uma pasta base oxidada (por isso o nome), à qual é adicionado querosene ou gasolina, resultando em uma pedra de um amarelo um pouco mais escuro e com fumaça também mais escura que a do *crack*. Quanto mais clara, mais cal virgem foi acrescentado à pedra de oxi; quanto mais amarela, mais gasolina ou querosene foi adicionado. Se tiver aspecto mais arroxeado, a proporção entre combustível e cal virgem é a mesma.

É comum que muitos usuários confundam as pedras. Já vimos muitos casos em que o primeiro contato foi com o oxi, comprado como sendo *crack* (o oxi pode ser adquirido por aproximadamente quatro reais). Como ambos têm um poder de destruição muito semelhante, a confusão, em geral, faz pouca diferença.

Dois anos depois de iniciar nossa Comunidade Terapêutica, atendemos Jean e sua mãe. Ela relatou uma história extremamente dramática. Jean não tinha boa referência paterna. Ele e seus três irmãos cresceram presenciando o vício do pai em álcool e os frequentes atos de violência, em que móveis e outros objetos eram destruídos. Com isso, a mãe assumiu o papel que deveria ser do pai e tentou afastar os filhos das más companhias para evitar que "fossem para o caminho errado", como ela dizia.

Com a conquista de uma bolsa para estudar em uma escola particular, era preciso que Jean se esforçasse para continuar com o benefício. Vindo de uma realidade muito pobre, ele costumava levar um pão escondido na bolsa, pois não podia comprar lanche como os colegas. Um certo complexo de inferioridade surgiu, mas não interferia no seu desenvolvimento escolar.

Em qualquer estágio da vida podemos desenvolver complexos, mas isso geralmente ocorre em algum momento da infância, em especial porque é nessa fase que os indivíduos formam a personalidade e sofrem grande influência do meio. O pai de Jean não era uma boa referência paterna e não o ajudou a desenvolver a autoestima, e essa ausência contribuiu decisivamente para a consolidação do complexo.

Aos 14 anos, após os jogos de futebol com os amigos, Jean começou a ter contato com o cigarro e o álcool, pois, devido à baixa autoestima, desejava fazer parte de um grupo, qualquer que fosse. Jean precisava se sentir valorizado e, como aquela turma que bebia e fumava era a mais atrativa, foi junto dela que ele quis estar — e também usar o que os tornava diferentes!

Aos 16 anos, com o rendimento escolar em queda, Jean conheceu a maconha e a cola de sapateiro. Nada complexo: alguns amigos "rachavam" o valor de alguns gramas da erva ou uma latinha de cola, e dava para todo mundo curtir um barato por horas. Nesse mesmo período ele acabou reprovado no primeiro ano do Ensino Médio e teve de ir para uma escola pública. Lá, ele foi apresentado a drogas mais perigosas, de origem medicamentosa. Quando nenhuma delas o satisfazia mais, ele decidiu inovar.

Sonhos destruídos e reconstruídos

Jean já tinha ouvido falar do *crack*, mas só aos 20 anos conheceu-o de perto. Após o trabalho, era comum ele e alguns amigos se reunirem para jogar dominó e fumar maconha. Em uma dessas ocasiões, um vizinho que era usuário da pedra ofereceu o "mesclado" (ou "melado"), uma mistura de maconha com *crack*... foi amor à primeira tragada!

A princípio só era possível consumir uma vez por semana, pois o preço era mais alto que o da maconha dividida com os amigos. Como o efeito da pedra era mais rápido, o que dava a temida "fissura" (estado em que o usuário é tomado por uma vontade incontrolável de usar mais pedra), ele já não se contentava com apenas um dia de encontro. Era necessário que esse relacionamento com a pedra virasse namoro, e foi o que aconteceu: Jean passou a ter contato diário com a droga, tanto aquela misturada com o cigarro comum, como a fumada na lata, considerada sua pior versão. Nessa segunda opção, o dependente amassa uma lata, coloca a pedra em cima ou dentro dela, faz furinhos, queima embaixo com um isqueiro e inala a fumaça.

Todos os sonhos de Jean foram destruídos pela droga, incluindo aquele que ele tinha desenhado ainda quando criança: ser engenheiro civil. Entre um beco e outro, na miséria promovida pela droga, Jean lembrava de seus antigos projetos para o futuro e via que nada se concretizaria, pois se tornara escravo. A droga havia levantado uma barreira que o impedia de realizar esse e todos os demais sonhos.

Jean ainda passou quatro anos usando a pedra, até que, já vestindo apenas trapos e tendo consumido tudo o que tinha, foi procurar sua mãe e contou-lhe que era viciado e não conseguia mais se controlar. "Eu sei", ela disse, "estava só esperando você vir me procurar para a gente lutar junto". Sua mãe lhe pediu que escrevesse uma carta de próprio punho dizendo que queria se internar de livre e espontânea vontade. Em seguida, expuseram a situação para os demais membros da família e um dos irmãos de Jean disse conhecer um lugar que tratava pessoas na situação dele, e foi assim que o rapaz e sua mãe chegaram à Cidade Viva.

Após relatar a história do filho, a mãe de Jean recebeu a triste notícia de que não havia vagas disponíveis e seria necessário aguardar que alguém recebesse alta. Foi mais um mês de tortura e luta para que Jean se mantivesse limpo. Sua única alternativa era não ter acesso aos locais em que a droga estava disponível, por isso ele pediu à mãe que o trancasse. Foi um mês de angustiante espera, até que recebeu a boa notícia de que havia uma vaga disponível.

O momento mais difícil não foi a despedia da mãe, com um abraço regado por lágrimas, mas o momento da revista de entrada. Todo aluno tem de se submeter, na admissão, a uma revista, realizada a fim de impedir a entrada de drogas na instituição. Ele viu a mala arrumada tão caprichosamente pela mãe ser totalmente desarrumada, com uma minuciosa análise de bolsos, materiais de higiene e qualquer item onde fosse possível esconder drogas. Ali ele teve plena convicção de que não fazia mais as regras e entendeu que a droga havia tirado dele a liberdade de outrora.

A rotina da Casa de Recuperação quebrava aos poucos a visão de mundo que Jean havia construído. Os atendimentos com o psicólogo e as terapias em grupo com os educadores retrabalhavam paulatinamente sua visão sobre si mesmo e sua família. O trabalho na roça e as outras atividades laboterápicas extraíam dele não apenas suor, mas orgulho e autossuficiência. No *jiu-jitsu* semanal, ele conheceu duas histórias de superação: a de Chicó e a de Rogério Aragão, ambos ex-usuários de drogas e, então, campeões do esporte. Rogério havia se tratado alguns anos antes na Casa e agora auxiliava na reabilitação de outras pessoas. Cada palavra deles antes e após os treinos eram sementes de esperança no coração de Jean: sim, era possível ser restaurado!

No entanto, ainda faltava o ponto principal da recuperação, e aconteceu durante os momentos diários de devoção. Na leitura da Bíblia, Jean entendeu a mensagem do evangelho de Jesus Cristo, a mensagem de um Deus que pega o que está em frangalhos e restaura. Jean precisava ser vivificado e, em um desses dias, percebeu que necessitava de alguém maior que ele mesmo a fim de ser um novo Jean. Quase sete meses depois de sua admissão, Jean saía um novo homem, com veias e artérias limpas daquela substância psicoativa, mas, o que era mais importante, espiritualmente limpo. Ele se tornara um novo homem, a quem Deus agraciaria com muita coisa nova.

Ao sair do tratamento, Jean foi trabalhar consertando bicicletas, mas, em pouco tempo, a Cidade Viva o chamou para atuar na recepção do Centro de Convenções, onde funcionava a sede da Fundação Cidade Viva e da Igreja Cidade Viva. Ele sentiu que precisava compartilhar com outros sua experiência e, por isso, passou a se dedicar com afinco. Depois de algum tempo, tornou-se o responsável pelo grupo de dependentes em recuperação. Nos horários livres, Jean fazia bicos de servente de pedreiro e, aos poucos, foi se tornando ajudante do mestre de obras. Por fim, ele se tornou pedreiro e passou a trabalhar somente na área de construção civil.

Quando a Cidade Viva iniciou obras no terreno onde funciona atualmente o Centro de Reabilitação, Jean foi contratado, pois era necessário ter uma equipe de confiança. Mas não foi só essa oportunidade que se abriu para ele. O pastor titular da igreja e idealizador de todo o projeto Cidade Viva,

Sérgio Queiroz, quis saber qual era o sonho de Jean e sua resposta foi: "Ser engenheiro".

No momento em que escrevo este livro, se passaram mais de dez anos que Jean passou pelo Centro de Reabilitação. Ele está casado com uma mulher cristã, que o ama desde a época em que ele iniciou o tratamento. Jean dedica as tardes de sábado ao trabalho da Cidade Viva, de prevenção às drogas, no sistema penitenciário paraibano e está a meses de concluir sua graduação em engenharia civil. Todas as noites, após um dia exaustivo nas obras, ele vai direto para a faculdade e ensina aos demais alunos e conhecidos que é possível recomeçar.

[SAIBA MAIS]

1. Como identificar se um parente está usando *crack*?

Não é fácil esconder o uso de *crack*. Como o seu poder de viciar é muito forte, logo fica claro para quem está ao redor que a pessoa é dependente, pois ela se desfaz de suas posses rapidamente a fim de conseguir manter o vício. Já lidei com casos em que, em apenas dois anos, o dependente se desfez de três apartamentos, uma casa mobiliada, três veículos e sua empresa, passando a morar na rua. Casos assim são extremamente comuns com usuários de *crack*.

Em geral, as características de um usuário são: pupilas dilatadas; olhar desconfiado; queimaduras no rosto, lábios, ponta dos dedos e língua, adquiridas ao esquentar a lata ou outro objeto onde a pedra é posta para consumo; taquicardia; agitação; delírios; mania de procurar coisas no chão, mesmo sem motivo; dores de cabeça; rápido emagrecimento; tonturas e desmaios; tosse e consequente escarro de mucos negros; insônia; depressão e fadiga.

2. É verdade que o *crack* vicia já no primeiro uso?

Não. Segundo pesquisas, mais da metade dos que experimentam *crack* não se tornam dependentes, mas uma série de questões está relacionada à forma como a droga é recebida em cada organismo. O melhor é não arriscar.

3. É verdade que o *crack* é a droga mais difícil para a reabilitação do adicto?

Não é isso o que os números dizem. Em minha opinião, o cigarro e o álcool são as drogas de mais difícil reabilitação. Em nossa experiência, o menor índice de reabilitação é de álcool, pois, quanto mais disponível está a droga, mais possibilidade de acesso há e mais se torna natural que ela seja oferecida por outra pessoa.

Para deixar de usar, é necessário ter primeiro o que chamamos de "reforço alternativo", isto é, outras opções que atraiam a atenção, estímulos que despertarão a motivação do usuário, como família, novas perspectivas de futuro e relacionamento com Deus. Por essa razão, as pessoas que vivem nas ruas têm mais dificuldade de deixar a droga. Para elas, a realidade não tem atrativos, então o *crack* é simplesmente uma alternativa de destruição mais rápida.

Na maioria dos casos, o tratamento mais eficaz para o *crack* é a internação, pois, longe das pessoas que oferecem a pedra e inserido em um novo contexto com novas perspectivas, o usuário consegue mais facilmente não reincidir no uso.

4. Existe realmente uma epidemia de *crack* no Brasil?

Creio que não. De acordo com uma pesquisa da Fiocruz, realizada em 2013, o Brasil tem, hoje, perto de um milhão de usuários de *crack*, menos de 0,5% da população do país.[2] A questão é que o *crack* chega fácil para os que têm contextos mais atrativos, como os filhos de famílias disfuncionais, os mais pobres, os que não têm tanta referência.

5. Quão eficaz é a religião na recuperação de pessoas viciadas em *crack*?

Segundo a ciência, a religião tem poder de influenciar positivamente na reabilitação de várias doenças. Basta uma breve consulta na internet para verificar como pesquisadores têm admitido que pessoas religiosas toleram mais a dor, têm melhor desenvolvimento no enfrentamento de doenças graves e recuperam-se mais rápido quando estão hospitalizadas. Pesquisas mostram, inclusive, que a religiosidade aumenta o sistema imunológico do ser humano.[3] Ora, se a religião é responsável por essa resposta e, considerando que a dependência química, como vimos, também é uma doença, ela tem claramente um papel positivo na recuperação do usuário.

A religião é um fator de proteção para o dependente em reabilitação, pois ele passa a ter mais três fontes onde buscar fortalecimento na luta pela abstinência: 1) A comunidade local, sua igreja, proporciona um círculo de amizades diferente do antigo, de pessoas que não consomem drogas; 2) esse círculo de amizades é mais um "agente de fiscalização", que pode auxiliar, aconselhar e direcionar o adicto no processo de reabilitação; 3) o fato de crer em Deus faz toda a diferença, porque o dependente passa a lutar para se manter limpo e não pecar, ao mesmo tempo em que sua fé o motiva a vencer mais um dia.

[7]

Drogas sintéticas: viagens alucinantes e perigosas

Em 2008, estreou na televisão uma série chamada *Breaking Bad*. Ela retrata a vida de um professor de química frustrado com sua profissão e que, após descobrir que está com câncer em estágio avançado, entende que precisa deixar a família financeiramente estável. Ele então decide fabricar metanfetaminas para que um aluno as comercialize. A série conseguiu retratar de forma fantástica o mundo das drogas sintéticas, que cada dia mais invadem o universo, principalmente, de jovens e adolescentes.

Produzidas, em geral, em laboratório, os principais componentes dessas drogas psicoativas são substâncias não encontradas na natureza. Elas podem ser consumidas em forma de comprimidos ingeridos, pó aspirado ou líquidos injetados. Assim como ocorre com outras drogas, a intensidade de seu efeito depende de como é utilizada. Entre as drogas sintéticas mais conhecidas estão o *ecstasy* e o LSD, e são mais consumidas em festas e *raves*.

O *ecstasy* é comumente chamado pelos mais jovens de "bala". É fabricado em formato de comprimido e começou a ser assim chamado justamente para não chamar a atenção.

Seu formato pequeno, como de uma pastilha colorida com desenhos, faz os desavisados pensarem tratar-se de fato de uma balinha. Cada comprimido de *ecstasy* é vendido por aproximadamente trinta reais, mas pode chegar a ser comercializado por 120 reais.

Para os usuários, existem "balas boas" e "balas ruins". As boas são mais amargas, pois têm mais concentração da substância ativa, que é o MDMA (Metilenodioximetanfetamina). O *ecstasy* ganhou popularidade a partir da década de 1980 em festas nos Estados Unidos. Depois de pouco mais de uma década de ter sido proibida naquele país, chegou ao Brasil, trazido por jovens da elite que, conhecendo a droga em viagens ao exterior, aos poucos conseguiram torná-la popular aqui.

A bala age no cérebro liberando, entre outros, neurotransmissores responsáveis pelo controle do humor e do sono. As principais sensações quando utilizado são: maior percepção de cores, sensibilidade ao toque, aumento da energia física e mental. Como a temperatura do corpo aumenta durante o uso, é comum ver usuários com garrafinhas de água, pois o consumo de água é muito elevado enquanto sob efeito. Outra razão da água é porque alguns preferem usá-la ao ingerir a droga a fim de prolongar o efeito. A bala é colocada na garrafa, que ao ser agitada a faz dissolver. A cada gole o usuário obtém o resultado chamado de "batida de leve", cujo efeito é mais duradouro e não tão intenso. Outros simplesmente engolem a bala, mastigam ou esfarelam e cheiram como pó em carreiras, potencializando o efeito, que é imediato.

As balas são diferenciadas pelos apelidos, como "*love* rosa", "cupido azul", "elefante rosa", "nintendo branca" e "fantasminha". Mais balas têm entrado em circulação, com novos formatos, gostos, novas cores e nova nomenclatura, até porque a diferença entre elas faz brotar no usuário a expectativa de alcançar novas experiências. "Fritar" é o termos utilizado quando o usuário entra em êxtase e perde o contato com a realidade.

Já o LSD (conhecido como "doce" ou "ácido") vem no formato de um pequeno papel, semelhante aos selos utilizados em cartas, só que muito pequeno e bem colorido, e com impressões diversas. O LSD é uma abreviação, em inglês, de *Dietilamida do Ácido Lisérgico*, considerada uma das substâncias alucinógenas mais potentes conhecidas. Décadas atrás já foi utilizada no tratamento de pacientes terminais de câncer devido ao alto poder analgésico.

É interessante notar como vivemos em uma sociedade de valores difusos. Muitas substâncias utilizadas originalmente para tratar doenças severas, amenizar dores insuportáveis ou fazer pessoas lidarem melhor com a morte são consumidas por pessoas saudáveis, que não precisam delas. O homem sem direcionamento na vida é escravo da própria liberdade. A humanidade sem Deus corre atrás do vento, busca falsos prazeres e se enche de alegria enganosa, acabando em profunda destruição.

O preço do LSD é semelhante ao do *ecstasy*, aproximadamente quarenta reais, mas em algumas baladas pode chegar a mais de cem reais. Apesar de os efeitos do doce serem bem mais pesados que os da bala, em boa parte dos casos o LSD é mais popular que o *ecstasy*, e não são raros os episódios em que meninos e meninas "se vendem" nas *raves* por um papel de LSD.

Tratamos em nosso centro de recuperação de alguns dependentes de LSD e *ecstasy*. Raros são, no entanto, os casos em que os dependentes são internados devido especificamente ao uso dessas substâncias. A maioria deles intercala o consumo dessas com outras drogas, como o *crack*, e acabam aderindo mais a elas. E essas, sim, os levam à internação.

Gilson, um dos nossos alunos, me relatou sua experiência inicial com o LSD, durante uma *rave*:

> Eu tinha 16 anos, meu primo comprou um *bike* (um doce de LSD, conhecido por ser muito pesado) e me deu a metade. Esperei dissolver na boca. Pensei que ficaria doido, mas não senti nada. Passados uns quarenta minutos, comprei outro de um cara, coloquei na boca e aí pirei! Eu via bichos correndo, o chão se abrindo, bebi várias garrafas de água, desesperado de sede. Segurei na camisa de meu primo e pedi que ele não saísse do meu lado. Então passava um monstro e eu o soltava para tomar mais uma garrafa de água. Logo aparecia outro monstro e achei que morreria ali, por isso gritava em meio ao som da *rave*. No dia seguinte, tive a pior ressaca de minha vida. É uma coisa louca, inexplicável: a galera quando frita (alucina sob efeito da droga) faz amizade com todo mundo, faz sexo com todo mundo, nunca vi isso com nada que usei.

Outros usuários relatam sensações diferentes, visto que o efeito da droga muda de acordo com o contexto, a dose e o organismo de cada um. Já ouvi alguns relatos de sensação de bem-estar e êxtase, com alucinações prazerosas e riso incontrolável, e outros relatos de desejo de esmurrar os que estavam perto.

Assim como o *ecstasy*, o LSD também é oferecido em uma série de cores e nomes diferentes. As mais conhecidas são "Alice no País das Maravilhas", "Homer Simpson", "*Bike's*", "*St. Albert*" e "*Double face*". Aproximadamente quarenta minutos depois de o papel ser engolido ou de seu conteúdo se dissolver, o resultado começa a ser sentido, com efeitos que duram até doze horas, atingindo o pico nas primeiras quatro horas.

Entre seus muitos efeitos, o LSD amplia a capacidade sensorial e ao mesmo tempo confunde as sensações (processo denominado sinestesia), alterando a percepção do tempo (minutos percebidos como horas), do espaço (locais adquirem dimensão gigantesca), dos sons e das cores (o usuário diz "ouvir" ou "sentir o cheiro" de determinadas cores).

Quando a sensação não é a que se busca, o usuário a trata como "*bad trip*". Nesse caso, a sensação costuma se inverter: em vez de prazer, o sentimento é de pânico, ansiedade, desespero, com relatos de monstros ou de perseguições. Há grande dificuldade de compreender o que é real. Existem casos em que, mesmo dias após o uso, os usuários afirmam ter as mesmas sensações de quando estavam sob o efeito da droga. São os chamados "*flashbacks*".

Mas os efeitos do LSD e do *ecstasy* não se limitam a questões psicológicas. Usuários de LSD costumam apresentar depressão, surtos de esquizofrenia, tremores, distúrbios de memória, náuseas, aumento da frequência cardíaca e da pressão arterial, convulsão, perda de apetite e insônia, além de desenvolver quadros psicóticos. Já entre os usuários de *ecstasy* é comum a degeneração dos neurônios, danos no fígado e no coração, perda de memória, convulsão, insônia e depressão, entre outros.

Fatores de risco e de proteção

Apesar de as drogas sintéticas mais conhecidas serem o LSD e o *ecstasy*, muitas outras são utilizadas em outros contextos, como as anfetaminas, cujo principal efeito é estimulante. É muito consumida principalmente por caminhoneiros para afastar o sono. As mais conhecidas são o "rebite" e a "bolinha". Os barbitúricos também são drogas sintéticas e o mais conhecido é o fenobarbital, empregado como sedativo, mas que pode causar depressão profunda e até mesmo a morte.

A metanfetamina, também chamada de "cristal", "*ice*" e "*speed*", é um estimulante que costuma ser sintetizado em laboratórios clandestinos. Foi utilizada originalmente na Segunda Guerra Mundial como meio de eliminar a fadiga e trazer ânimo aos soldados. O seu aspecto pode ser de pó branco, pílulas ou cristais, sendo aspirada, fumada, ingerida ou injetada. Os principais efeitos são euforia e paranoia, sendo que, em alguns casos, pode haver forte desejo sexual ou repulsa ao contato físico. Uma curiosidade da metanfetamina é que o efeito de uma única dose pode durar por até 72 horas.

Altamente viciante e muito mais potente que as anfetaminas, o uso da metanfetamina pode levar ao desenvolvimento de agressividade, distúrbios de humor, problemas cognitivos e dentários, sintomas de psicose, à perda de peso, a convulsões e arritmia cardíaca, entre outros.

As drogas sintéticas se tornaram um grande desafio, principalmente para os pais de adolescentes, uma vez que esse público as tem procurado cada vez mais. Mas esse também tem sido um grande desafio para os profissionais de educação, dado o crescente envolvimento do público escolar — mais informado sobre o assunto que os professores — com esse tipo de droga, para uso recreativo.

O aluno que tem entre 12 e 14 anos é mais influenciado pelos colegas do que pelos familiares ou professores, e é justamente nesse período que tem o primeiro contato com as drogas. Em uma pesquisa realizada com internos de uma Comunidade Terapêutica, 27% dos entrevistados afirmaram que o primeiro contato com as drogas se deu dentro da própria escola onde estudavam.[1] Infelizmente, o local que os pais creem ser protegido passa a ser um ambiente de risco, tendo em vista que cada vez mais o cerco se fecha. Se as famílias não fizerem o dever de casa de modo eficiente (isto é, investir em amor e disciplina, de modo a servir de modelo para os filhos), as influências negativas podem fazê-lo.

Um mês antes de escrever este livro, um dos casos que acompanhei foi o de um adolescente de 17 anos, filho de uma família de classe média alta e, aparentemente, sem muitos problemas. Havia um ano e meio, esse jovem discutira com a mãe e, no dia seguinte, conversando com um colega de sua turma do 1º ano do Ensino Médio, foi convidado a sair com uns amigos. Disposto a fazer algo que deixasse a mãe chateada, o garoto saiu com os rapazes e as moças. Naquele dia, ele conheceu a metanfetamina sob a forma de pílulas. Esse foi apenas o pontapé inicial para o uso de outras drogas. No momento que este livro é escrito, o adolescente encontra-se apreendido em uma instituição correcional por tentativa de roubo. Segundo sua própria declaração, a motivação do crime seria alimentar o vício.

Não é simples prevenir o uso de drogas na adolescência, pois, como você já deve ter percebido, uma série de fatores estão relacionados, desde relacionamentos até o tipo de interferência, ou não, na vida do adolescente. De toda forma, existem fatores que influenciam ou inibem o uso de substâncias psicoativas. Para os pesquisadores da área, os fatores que favorecem o consumo são chamados de *fatores de risco* e os que inibem a possibilidade de uso são chamados de *fatores de proteção*.

Como principais fatores de risco estão: falta de vínculo afetivo com os pais, familiares com histórico de uso de substâncias psicoativas, conflitos familiares constantes, fragilidade emocional, *bullying* na escola, baixo desenvolvimento escolar, vínculo fraco com a vizinhança, fácil acesso a drogas e a usuários de drogas em seu círculo de amizades.

Em contrapartida, assim como os fatores de risco aumentam a probabilidade do contato com as drogas, os fatores de proteção têm importância fundamental no distanciamento de tais substâncias nocivas, sendo eles: relacionamento de proximidade e confiança com os pais, boa administração familiar, estabilidade emocional, bom desenvolvimento escolar e no relacionamento com os colegas, bom envolvimento comunitário e fortes vínculos sociais, distanciamento de usuários de drogas, envolvimento em comunidades religiosas. A forma mais eficaz de prevenir o uso pelo público escolar dessa idade é, principalmente, fazê-lo focar em outras áreas de afinidade, como esporte e música.

O fato é que a percepção da necessidade de buscar prazer em drogas só corrobora a tese de que a humanidade tem um desejo insaciável de sentir prazer e alegria, mas tem a pecaminosa tendência de escolher os lugares errados, os instrumentos inapropriados e as doses mais destruidoras.

[SAIBA MAIS]

1. Drogas como o *ecstasy* e LSD causam dependência?

Essas drogas têm um potencial menor de gerar dependência da substância propriamente dita, mas é fácil encontrar muitos casos de padrão de consumo compulsivo. Entre os riscos do consumo estão a perda de senso crítico e o uso de uma série de outras substâncias que, relacionadas, podem causar danos irreversíveis e até a morte.

2. Por que o consumo de drogas sintéticas cresceu tanto?

Por dois motivos principais: primeiro, os traficantes encontraram um grupo com condições de pagar por elas e, havendo procura, criam-se meios de oferecê-las. Para os traficantes, o negócio é um dos mais lucrativos. Um pacote com cem pílulas de *ecstasy*, por exemplo, pode ser comprado por cem dólares pela internet, enquanto cada pílula chega a ser vendida em uma *rave* por até espantosos 120 reais. Muitos jovens de classe alta têm se envolvido com o tráfico específico dessas substâncias devido ao lucro imenso que elas proporcionam.

O segundo motivo é que o público consumidor desse tipo de substância vive a ilusão de que ela é inofensiva e que não dá para curtir a balada sem tê-la como companheira. Por essa razão, é comum encontrar *sites* e comunidades na internet que explicam as melhores formas de usar as drogas sintéticas, além de relatos das melhores experiências proporcionadas por elas.

[8]

Codependência: quando o vício adoece os que estão ao redor

A dependência química é uma doença familiar, e o modo como ela atinge os parentes do usuário é denominado *codependência*. Tanto o dependente quanto o codependente estão doentes, ambos precisam de mudanças de hábitos e de ajuda para que tenham sucesso. Independentemente de quem seja a culpa, o mais importante é buscar resolver o problema do abuso de drogas e do sofrimento dos que são atingidos por ele.

Quando você lida com usuários de drogas, naturalmente passa a viver um pouco da dor do codependente, pois não é comum um tratamento eficaz se as pessoas próximas ao dependente também não forem tratadas. Quando se vive um pouco a dor do outro, se compreende mais o seu sofrimento, há menos julgamento e desperta mais interesse em ajudar na restauração.

Na rotina da Cidade Viva, conhecemos Neri, o dependente, e Leila, a codependente. Neri vinha de um contexto não raro entre os dependentes: pai ausente e mãe que teve de assumir também a função paterna, no lar. Quando adolescente, Leila, que estudava reclusa em um colégio de freiras na cidade paraibana de Campina Grande, mudou de escola, enturmando-se com pessoas mais liberais. A partir dos 17 anos, teve dois relacionamentos afetivos fugazes e acabou engravidando de dois homens diferentes, que não assumiram os filhos: o mais velho era Beto e o mais novo, Neri.

Para sustentar os dois filhos e ter melhor condição financeira, Leila fazia hora extra, bicos no fim de semana, viagens e tudo o que estivesse ao seu alcance. Nas frequentes dificuldades orçamentárias ela se arrependia de não ter exigido a pensão dos filhos. Leila reconhecia que sua desistência de exigir o sustento tinha mais a ver com orgulho do que com medo de represálias. O problema é que, somando o fato de não ter tempo de qualidade com as crianças com o de ser mãe recém-saída da adolescência e, portanto, impaciente com as peculiares bagunças dos dois, aos poucos a distância e a irreversível ausência dos pais deixaram lacunas que gritariam no futuro, principalmente na história de Neri. Ele e o irmão foram criados pelos avós, pois viam a mãe praticamente só nos fins de semana.

Desde pequeno, Neri sempre mostrou uma certa autonomia. Apesar de ser mais novo que Beto, Neri era mais falante, dono de si e sempre agia por conta própria. Devido ao ciúme por sentir o irmão mais cuidado pelos avós em razão de sua saúde frágil, Neri passou a praticar *bullying* com Beto, a quem chamava de "abestalhado". A família começou a perceber que os irmãos não eram amigos nem tinham os mesmos amigos, apesar da idade próxima.

A partir dos 13 anos, Neri começou a dar sinais de que sua adolescência e juventude seriam trabalhosas, pois ele já não obedecia tanto às ordens da mãe e dos avós, respondia quando repreendido e passou a usar um argumento muito comum a filhos rebeldes sem pai que querem constranger a mãe: "Eu sou assim porque não tenho pai!". Esse argumento funcionava, pois fazia Leila se sentir culpada, o que a levava a deixar de lado a repreensão e dar "liberdade" ao menino. Neri se envolveu com torcidas organizadas e, aos poucos, foi se tornando comum Leila ouvir histórias de brigas, pichações e outras badernas nas quais o filho se envolvia. Apesar de tentar ser dura, a falta de experiência e de orientação a deixava perdida, sem saber como agir.

Quando Neri completou 14 anos, Leila encontrou maconha em sua mochila. Aflita, chamou o caçula e, com muita raiva, perguntou o que aquilo estava fazendo em sua bolsa. Como a maioria dos usuários que são pegos, o discurso de Neri foi enfático: "Não é minha, é de um colega, que pediu que eu guardasse". A resposta foi tão segura que Leila acreditou. Ela pensava: "Uma droga nunca seria de meu filho, pois ele nunca se envolveria com isso". Geralmente pensamos assim.

Pouco depois, Leila mudou de emprego e foi trabalhar na capital, João Pessoa. Beto preferiu ficar com os avós e, por essa razão, Leila passou a morar somente com Neri em um bairro próximo ao trabalho, mas, também, próximo aos *points* de droga da cidade. Agora, Neri estava em um bairro boêmio, a beira-mar, e passou a se achar o tal.

Leila tinha um namorado que não se dava bem com Neri por achar que ela fazia todas as vontades do rapaz, que "passava a mão na cabeça" dele e não o fazia enfrentar as consequências de suas escolhas. Certa tarde, Leila estava no trabalho e recebeu um telefonema da delegacia. Seu namorado lhe disse ter chamado a polícia porque ele havia encontrado muita droga no meio das coisas de Neri. O rapaz assumiu ser o dono da droga, sem dar nenhuma outra informação. A Justiça instituiu que Neri deveria realizar serviços comunitários, e Leila viveu momentos tranquilos, pois, agora, ele tinha medo de cometer alguma infração e sofrer uma pena maior. Ao fim da penalidade as coisas pioraram, pois Neri conseguiu um bom emprego e, com o salário, era cada vez mais independente e dava menos satisfações à mãe. Nesse tempo, Beto e Neri já estavam completamente distantes, ainda que a mãe apelasse a Beto para que, sendo mais velho, influenciasse o irmão. Mas Beto não sabia o que fazer. Quando Neri fez 17 anos, Leila achou *crack* nas coisas do filho, que, agora, entrava e saía de casa na hora em que queria e, mesmo flagrado, negava o consumo. E seu comportamento piorava mais e mais.

Certa vez, enquanto Neri estava na praia, foi abordado por um grupo de jovens evangélicos que lhe falaram do evangelho de Cristo. Ele acabou aceitando passar um fim de semana em um retiro da igreja. Após o retorno, o rapaz parecia outra pessoa, disciplinando os horários, arrumando a casa, indo para a igreja e se afastando da turma da pesada. Aos poucos, Leila e o filho começaram a frequentar a igreja, juntos, e a convivência com o novo grupo fez a mãe recuperar a esperança de que seu filho poderia ser "normal como os outros".

Neri acabou se envolvendo com uma menina da igreja e eles decidiram noivar. Apesar da impulsividade característica dos dependentes químicos, Leila e a família viram com bons olhos o noivado apressado, já que ele aparentava ser uma nova pessoa. Foram os dez meses mais tranquilos de sua vida de mãe. Era fim de 2006 e, em 2007, Leila decidiu abraçar a mesma fé que seu filho. Tão repentino quanto o início do noivado foi seu fim. Com o término do relacionamento, Neri decidiu se afastar da igreja, já que tudo ali lembrava a noiva de quem ele ainda gostava.

Leila percebeu que tudo estava desandando quando ele deixou de ir à igreja e voltou a sair com os antigos amigos.

Neri voltou a ter comportamentos reprováveis, mas Leila não queria acreditar que seu filho estivesse novamente envolvido com drogas. Ao ver o rapaz consumindo substâncias psicoativas mais uma vez, uma amiga sugeriu que ela o levasse a uma clínica de reabilitação, a Cidade Viva.

Na conversa com Neri, Leila trouxe todos os argumentos possíveis para a internação, mas ele se mostrou extremamente firme, dizendo não precisar da internação. Após muita insistência, ele respondeu aos apelos da mãe dizendo: "Eu vou só para lhe mostrar que não preciso!". Em março de 2008, Leila chegava à triagem na Cidade Viva. Já na primeira conversa, ela foi confrontada com sua forma de lidar com o filho, tratando-o como criança mimada, sempre recebendo o que pedia e nunca sofrendo as consequências pelas suas irresponsabilidades. Na mesma semana da primeira entrevista ela participou da reunião para codependentes e, pela primeira vez, se sentiu cuidada, pois aquelas pessoas conheciam seu problema. Elas não a acusavam nem lhe passavam a mão na cabeça, em vez disso discutiam estratégias para não continuar errando.

Dois dias depois, Leila levou Neri ao nosso local de apoio. De lá, eu o levaria ao Centro de Reabilitação. Ao abraçar o filho antes da partida, Leila chorou muito, como fazem praticamente todos os pais que levam os filhos para a internação. Neri ingressou acreditando que estaria numa espécie de *spa*, um local onde descansaria tomando água de coco e relaxando. Ledo engano!

Logo no primeiro dia, houve uma partida de futebol no campinho. Ali, o tratamento de Neri e Leila realmente começou! Enquanto jogava bola, o rapaz deu um forte chute nas pernas de um dos alunos, que jogava muito bem e havia passado a bola entre as pernas dele. Com o chute, o rapaz caiu e, no mesmo instante, o educador tirou Neri do jogo. Como eu estava assistindo, informei que Neri ficaria dois dias sem jogar bola pela falta de cuidado com o colega. Indignado, ele disse: "Como é? Quer dizer que eu vou ter de ficar seguindo um bocado de regrinha aqui?". Eu confirmei, ao que ele retrucou: "Se é para ficar me proibindo de fazer o que eu gosto, pode ligar para minha mãe que eu vou embora agora. Mande ela vir me pegar!". Eu respondi: "Tudo bem, vá arrumar sua mala!" e ele assim fez.

Sem que ele visse, peguei o telefone e liguei para sua mãe. Logo que ela atendeu, eu expliquei a situação e disse a ela: "Leila, o seu tratamento começou agora. Ou você decide colocar ordem em sua casa ou vocês morrerão escravos dessa vida indisciplinada. Eu vou passar o telefone a ele e, quando ele informá-la de que está deixando o tratamento, seja dura como você nunca foi, diga que não vai buscá-lo e que não o receberá em casa. Assegure que jogará as coisas dele na rua e que ele decida o rumo que tomará, pois rebelde na sua casa não entra mais!". Leila chorou e disse que sabia ser preciso fazer isso, mas que não conseguiria. Então, eu retruquei: "Leila, ou você muda ou ele nunca mudará", ao que ela respondeu: "Tudo bem, deixa comigo!".

Doença das emoções

Como já vimos, pesquisadores estimam que um único dependente químico influencia a vida de cerca de quinze pessoas, direta ou indiretamente. Alguns não entendem essa conta, mas é simples: se um usuário rouba uma pessoa para comprar droga ou para pagar dívida na boca de fumo, ele, que já interferia na vida da própria família, agora interfere na família da vítima do roubo. Se um dependente provoca um acidente sob efeito de uma substância, inúmeras vidas são influenciadas pela irresponsabilidade dele. Some-se a isso qualquer tipo de atitude decorrente do uso de substâncias e você verá que a conta, que parecia exagerada, é, na verdade, até bastante generosa.

A família do dependente é quem mais sofre com o vício, pois se vê em meio a um problema maior do que poderia lidar e, geralmente, sem ninguém que possa orientá-la quanto às melhores decisões a tomar. Assim, a tendência do codependente é ir para um dos extremos: ou se revolta contra o usuário e o considera um safado que quer acabar com a família e, por fim, o abandona; ou olha para ele como vítima, um coitado que é apenas fruto da ausência de pai ou mãe, de sofrimentos da infância ou de qualquer outro problema alheio a ele que o impossibilitou de ter uma vida digna.

A codependência é, assim como a dependência, uma doença que recai diretamente sobre as emoções do doente, afetando primeiro sua casa para depois se estender ao ambiente de trabalho e às relações com os amigos e demais familiares, a ponto de seu discurso passar a ser totalmente direcionado para o problema do vício que assola o seu meio. Quando não tratada, aos poucos leva quem sofre do mal à culpa e à deturpação da autoimagem, podendo acarretar uma série de transtornos, como depressão, síndrome do pânico e outros.

É comum ouvir os parentes de alguém escravizado pelo vício dizerem: "Nunca pensamos que nossa família pudesse ter esse problema". De fato, estamos acostumados a ouvir na mídia diariamente sobre o caos gerado pelas drogas e os casos de violência a elas ligados, mas nunca estamos prontos para conviver com essa questão dentro de casa. Por não ser "treinados" para isso, a tendência natural, ao deparar com a droga infiltrada em nossa árvore genealógica, é tomar uma das duas errôneas posições: ou nos abstemos do drama, expulsando o adicto do lar, ou nos tornamos financiadores do consumo.

Um dos maiores tormentos dos codependentes é não ter a quem recorrer no desespero de ver um parente destruir a vida da família devido ao consumo de drogas. Daí a gritante necessidade de que o codependente participe de um grupo de ajuda mútua. Na Cidade Viva, criamos o Corredor da Vida, grupo de ajuda mútua para dependentes e codependentes, reunidos separadamente.

No grupo de dependentes, o objetivo é levá-los a se fortalecer por dois princípios básicos: todos são doentes em recuperação que compartilham experiências, e todos têm a graça de Cristo como base e a comunhão como ferramenta para manter a abstinência e vencer um dia mais. No grupo de codependentes, a base e a ferramenta são as mesmas. Embora também estejam doentes, precisam de orientação não para que mantenham a abstinência, mas para que saibam como lidar com o dependente dentro do lar com moderação, nem sendo juiz nem alimentando a inconsequência. A diferença de grupos de ajuda mútua ligados a igrejas é que outros grupos anônimos chamam Deus de "Poder Superior", enquanto nós e outros grupos o definimos como Jesus Cristo.

Assim como o Alcoólicos Anônimos e o Narcóticos Anônimos são bem conhecidos no auxílio de dependentes, existem grupos específicos para tratar os codependentes, como o CODA, grupos familiares Nar-Anon e Amor-Exigente, por exemplo. O Amor-Exigente trabalha com princípios de cuidado muito eficazes no tratamento da codependência. Alguns deles são:

1. *Identificar os valores de cada um, trabalhando os objetivos pessoais para que haja ajuda mútua.* Quando o familiar está adoecido pela codependência, a tendência é que ele desconsidere ter algo com que contribuir para os outros. No entanto, quando

essa pessoa traça novas metas, novos objetivos pessoais, a tendência é olhar-se de modo diferente e tomar atitudes que não só a ajudarão como também auxiliarão o dependente, que, em seu tempo, tenderá a responder às mudanças.

2. *Aceitar as limitações e se perdoar, sem perder a autoridade e o amor à vida, e não desanimar com os problemas do vício.* Essa é uma tendência natural do codependente: olhar para o passado e, ao ser confrontado com seus erros, carregá-los e passar a se punir, crendo que a responsabilidade pelo vício é dele, e por isso as consequências devem recair sobre ele, e não sobre o usuário de drogas. Em decorrência disso, o codependente perde a autoridade sobre o usuário, o que costuma ocorrer principalmente nas relações entre mãe e filho. Em geral, o dependente não foi forçado a usar droga, nem seu vício é resultado de erros cometidos por terceiros. O dependente escolheu um caminho errado e as consequências não devem incorrer sobre os codependentes. Por mais doloroso que seja, você deve deixar que ele sofra os danos de suas más escolhas, sob pena de virar refém dele.

3. *Aceitar que não somos fonte ilimitada de recursos, de forma que é necessário conhecer nossos limites físicos, emocionais e econômicos.* Financiar o consumo é algo bem presente na vida do codependente: com medo de ter seu parente morto por dívidas com o tráfico ou de vê-lo preso por roubar na rua para conseguir manter o consumo, codependentes, desesperados, chegam a se endividar e vender objetos pessoais para dar dinheiro ao dependente. A alternativa mais difícil, mas com resultado mais eficaz, é não fazê-lo, delegando ao usuário o peso de arcar com a responsabilidade de suas escolhas erradas. Outro ponto que vale salientar é que reconhecer os limites também significa entender que lutar sozinho é bem mais difícil. Mais produtivo é pedir ajuda a outros, de

preferência profissionais que possam orientar quanto às melhores decisões.

4. *Manter o equilíbrio e ter disciplina; estabelecer regras que devem ser respeitadas pelo bem de todos da família.* Uma das características principais do dependente químico é a indisciplina. Por isso, seguir regras é extremamente difícil para ele. A grande questão é que, com o tempo, os codependentes tendem a "herdar" esse comportamento indisciplinado e, por não saber como agir, passam a seguir o mesmo ritmo do dependente: enquanto este o faz devido à droga, aquele o faz devido ao usuário da droga. Estabelecer regras é um passo fundamental, mas somente estabelecê-las não adianta; é necessário segui-las. Por exemplo: se você exige que o dependente não use droga em casa, faça isso primeiro. Nós já lidamos com incontáveis casos de pessoas que buscavam ajuda para o parente alcoólico mas não estavam dispostos a abrir mão da cervejinha em casa. Imagine a tortura que é para alguém doente, totalmente dependente do álcool, não poder beber, mesmo sabendo que a geladeira está cheia de cerveja? A luta contra o vício deve ser travada por todos no lar, é um sacrifício que todos devem fazer por amor a um. Esse amor, acredite, costuma dar resultados.

5. *Ter um plano de ação com metas e prioridades e fazer o que precisa ser feito, sem pena do outro ou de si próprio.* Para chegar a um lugar, é necessário saber para onde se quer ir. O codependente também está incluído nisso. Codependentes costumam esquecer de sua vida e passam a viver a vida do viciado. Isso é um erro fatal, que costuma destruir ambos. Trace metas pessoais e corra atrás delas. Em relação ao dependente, bole um plano de ação em que a prioridade seja a reabilitação, independente de isso ser doloroso ou não para o usuário. Fuja da autocomiseração ou do "coitadismo". Nós só mudamos

aquilo que nos incomoda e, como a droga incomoda e você sabe que é necessário mudar, é hora de deixar a pena de lado e agir.

Tome uma atitude

Quando Leila desligou o telefone, ela se viu em um dos momentos mais difíceis de sua vida: era necessário tomar uma posição firme. Aquele menino que queria sair do Centro de Recuperação não era mais a sua criança que se machucara com um brinquedo e precisava de um abraço. Aquele rapaz estava destruindo a própria vida e a de toda a família. Por essa razão, ou Leila tomava uma atitude dura ou todos continuariam escravos daquela droga, e não só Neri.

O rapaz rebelde ligou para Leila logo depois de mim, com a mala feita e cheio de moral. "Liga aí para minha mãe vir me pegar", ordenou. Eu liguei e passei o telefone para ele. Não consegui ouvir o que Leila falou, mas as falas dele foram: "Mãe, aqui é muito cheio de regras, não vou ficar não, vem me pegar". Alguns segundos de gritos do outro lado da linha e ele respondeu: "Mãe? Ei, tenha calma!". Mais alguns segundos de gritos e ele, sem reação, calado e com o olhar perdido: "Mãe, deixa eu falar!". Os ruídos de grito cessaram, ele olhou para mim e disse:

— Ela desligou, disse que não vem me pegar, que vai jogar minhas roupas fora e que eu não pisasse lá em casa. A mãe ficou doida!

Eu simplesmente sugeri:

— Então aproveita e vai devagar, porque daqui até lá a pé é bem longe, são mais de vinte quilômetros.

— Não, eu não vou mais, porque não tenho para onde ir.

— Sim, você vai. Aqui só fica quem está disposto a obedecer às regras.

Após instantes pensativo, ele implorou:

— Por favor, deixa eu ficar aqui, eu não quero ir para a rua. Eu juro que seguirei as regras!

A partir daquele dia, Neri entendeu que, para toda ação, havia uma reação. Ele não imaginava que sua mãe pudesse agir daquela forma. Logo ela, que sempre respondeu aos seus caprichos, sempre pagou suas contas nas bocas de fumo, que sempre permitiu que ele tivesse sua autonomia respeitada.

O primeiro mês de um tratamento no modelo de Comunidade Terapêutica geralmente é isolado — é o que chamam de "deserto". Sem contato com a família, tanto o dependente quanto o codependente têm mais condições de pensar sobre os danos da droga e as melhores estratégias para vencê-los. Leila sentiu uma imensa falta de seu filho, mas tinha convicção de que ele não voltaria de lá a mesma pessoa. Todas as manhãs, ao acordar, ela se lembrava do sofrimento, mas, também da fala do profeta Jeremias, conforme registrado na Bíblia:

> Como é amargo recordar meu sofrimento e meu desamparo! Lembro-me sempre destes dias terríveis enquanto lamento minha perda. Ainda ouso, porém, ter esperança quando me recordo disto: O amor do SENHOR não tem fim! Suas misericórdias são inesgotáveis. Grande é sua fidelidade; suas misericórdias se renovam cada manhã.
>
> Lamentações 3.19-23

Após o primeiro mês, houve a primeira ligação e Neri já percebeu que Leila não era mais a mesma: ela demonstrava profundo amor, ao mesmo tempo em que era firme nas palavras. O sentimento dela era de uma "saudade aliviada", pois Leila nunca havia dormido tanto tempo em tranquilidade.

Três meses depois, Leila se surpreendeu com os resultados físicos de seu filho: o rapaz de 1,74m havia chegado para a internação com 54 quilos e, agora, pesava 70 quilos. As visitas eram quinzenais e o desejo dela era morar ali, para ver o filho todos os dias, mas a alegria de vê-lo em plena recuperação e com planos de futuro a faziam vislumbrar um amanhã inimaginável meses antes. Ela sentia a mão de Deus agindo de forma milagrosa.

Nesse tempo, Leila se cuidava, voltou a fazer faculdade e Beto e Neri se aproximaram. Em uma de suas saídas mensais para passar o fim de semana em casa, Neri se reencontrou com Cinthia, uma ex-namorada, uma menina que bebia, mas que havia decidido tomar um novo rumo após as conversas com um novo Neri, que a evangelizava e a levou a um encontro com Cristo. A família agora estava em um êxtase sobrenatural, nunca antes cogitado. Em poucos meses, Neri e Cinthia já noivaram, pensando em se casar para Neri organizar sua vida de uma vez por todas e em todas as áreas.

Nos últimos quinze dias de tratamento, o quadro mudou. Neri já queria demonstrar muita autonomia, começava a questionar os conselhos dos educadores e a necessidade de dar *feedbacks* quanto às saídas. No dia marcado para a sua saída, o rapaz queria sair logo e, diferente de todos os concluintes, não se interessou pelas recomendações de frequentar o Corredor da Vida com o grupo de ex-alunos, assim como de ter o auxílio do *coach* na luta pela abstinência. Reunidos com Leila, tivemos a tristeza de passar a nossa impressão de que em pouco tempo ele recairia. Arrasada, Leila perguntou: "Mas de que adiantou todo esse esforço para, logo agora, no fim, ele agir assim?". Eu respondi: "Leila, esse não foi o tratamento de Neri, esse foi o seu tratamento e o da sua família. Quem sabe o dele ainda acontecerá!".

Como pensamos, Neri reassumiu sua autonomia e voltou a viver a vida do seu jeito. Leila agora não estava só, pois tinha uma igreja que a auxiliava e a noiva do filho, que lutava ao lado dela contra os males da codependência. Acima de tudo, agora Leila sabia que há um Deus que lhe dava uma força incomum. Em poucos meses, o casal terminou o relacionamento e Neri voltou a usar drogas. Em menos de dois anos, Neri foi preso por extorsão e furto, e teve de passar quase dois anos encarcerado. O rapaz conheceu na prática o que muitos diziam: "Quem sai da droga e volta a usar fica pior e sofre uma destruição maior".

Em meio ao vício, Leila agia com uma força diferente, pois não mais se dobrava aos pedidos de Neri, mas, impossibilitada de tratar alguém que não queria ser tratado, restava mantê-lo até onde conseguia e orar para que um milagre o alcançasse. Devido a uma série de problemas de saúde decorrentes do uso de drogas, esporadicamente ele parava o uso por algumas semanas para logo depois retornar. A saúde melhorava um pouco e sua rotina de escravidão se repetia. Neri se envolveu com uma moça cristã de uma comunidade carente e o chefe do tráfico o proibiu de frequentar o local, ameaçando-o de morte.

Depois de doze dias sem contato com a mãe, o que nunca havia acontecido, Neri entrou em contato dizendo que estava bem e que iria passar em casa para pegar algumas roupas. Leila, no entanto, lhe recomendou que se lembrasse de que naquele dia ela iria para o culto à noite. Neri garantiu que chegaria antes do horário do culto, mas não apareceu. Ela, então, foi à igreja. No outro dia, pela manhã, Leila ligou a TV e ouviu no noticiário a pior notícia de sua vida: seu filho havia sido assassinado com cinco tiros na noite anterior.

Leila entrou em contato comigo às 7 horas da manhã, desesperada. Poucas horas e muitas lágrimas depois, estávamos no Instituto Médico Legal (IML) para reconhecer o corpo. Nesse mesmo dia, abraçado a ela, ao ser questionado por que Neri não havia sido recuperado, minha sincera resposta foi: "Leila, Deus restaurou sua família. Você veio buscar tratamento para Neri e Deus salvou você, Cinthia, Beto, sua mãe e outras dezenas de pessoas que hoje são transformadas pelo seu testemunho".

A realidade é que Deus nem sempre responde da forma como queremos, pois, em sua soberania, ele sempre terá a opção que mais nos abençoará, ainda que o melhor pareça o pior, como nos disse o apóstolo Paulo: "E sabemos que Deus faz todas as coisas cooperarem para o bem daqueles que o amam e que são chamados de acordo com seu propósito" (Rm 8.28). A maturidade espiritual de Leila a fez compreender em meio à sua maior dor que devemos fazer a nossa parte e mudar hábitos, mas é ele quem dá a resposta final. Leila queria a restauração de Neri, Deus queria a restauração de Leila, de sua família e a de dezenas de outras famílias.

Hoje, Leila trabalha no tratamento de mães que não sabem como lidar com filhos usuários de drogas. Centenas de mães mudaram de atitude e ajudaram a reabilitar os filhos após conversas com Leila. Além disso, ela lidera um dos ministérios da Cidade Viva que tem como foco adolescentes em situação de reclusão devido a crimes cometidos, em sua maioria relacionados ao uso de drogas.

Enquanto escrevo este livro, relembro com ela da história, e ela diz:

> Queremos poupar as pessoas dessa dor que passei e passo. Esta semana, assistindo à TV, vi dois estudantes que foram presos. Quando olho o rosto do usuário, vejo o rosto de toda a família. É um egoísmo muito grande o usuário só pensar em si. O tamanho

do barato que ele curte é do tamanho da dor de quem está em casa. Hoje estou acompanhando um caso de uma mãe que está com um filho preso e ela está com aquela venda nos olhos de que o filho é um santo. Ela pediu oração. Eu oro, mas minha luta é explicar que ou tomamos uma atitude, ou ninguém se salva. Tomando atitude, se você não salva a ele e você, pelo menos você é salva da cegueira da codependência.

Devido à experiência como codependente, fiz algumas perguntas a Leila, que as respondeu tomando por base as perguntas que pais e mães lhe fazem com frequência:

1. Como um codependente deve agir em relação à *adicção* de um parente?

O primeiro passo é entender que a dependência é uma doença. A partir daí, é necessário procurar conhecimento sobre o assunto para compreender o que e como ocorre. Em seguida, deve-se buscar tratamento para os codependentes e para o adicto.

A família tem um papel fundamental e de grande valor para a recuperação (ou não, pois, dependendo de como aja, pode mais atrapalhar que ajudar). A acusação não resolve, o que resolve é amar, mas com atitudes rígidas, a fim de não alimentar ainda mais o vício. Por fim, é necessário estar consciente de que a codependência pode ser pior que a dependência, pois toda a família pode se tornar refém do vício do outro.

2. Que comportamentos seus você identificou que precisaria modificar a partir do momento em que entendeu que era codependente?

Entendi que precisaria primeiro ter um olhar para mim mesma. Em toda a minha vida, vivi para meu filho; minhas emoções estavam relacionadas às dele; minhas alegrias e tristezas estavam ligadas às dele; minhas frustrações e meus sucessos estavam conectados aos dele... até o dia em que entendi que precisava cortar o cordão umbilical.

Foi quando compreendi que minha visão de amor era deturpada, pois eu acreditava que o meu amor deveria ser do tipo que libera o outro para tudo, e aprendi na Cidade Viva que liberdade demais também é abandono. A partir do momento em que entendi isso, permiti que ele assumisse as próprias responsabilidades, sofrendo as consequências de suas atitudes. Quando o codependente abre mão de si para viver totalmente a dor do dependente, são duas ou mais vidas destruídas, e não apenas uma. Quando o dependente não quer recuperação, é necessário que o codependente abra os olhos e busque a própria reabilitação.

3. Como ter força diante da frustração de investir tanto na recuperação de um filho e, no fim das contas, não ter retorno?

No meu caso, eu tive retorno, mesmo que não fosse o que eu esperava.

Dei o meu máximo e pensei que teria meu filho limpo das drogas, com um emprego, uma família estabilizada e netos para me apresentar, mas Deus não me permitiu. Eu agradeço a Deus porque, mesmo não tendo a resposta que desejava, tive outras: fui restaurada, boa parte de minha família também foi e, o principal, eu e muitos de minha casa tivemos a maior das alegrias, que foi entender que Deus nos supre, que o Senhor nos sustenta e que nos dá real sentido para viver.

Nada pode mudar a tristeza e a dor da saudade, mas compreendi que os propósitos de Deus são perfeitos e, hoje, consigo ter paz em meio à tormenta. Ainda que o meu contexto seja de extrema luta, sei que não luto mais sozinha. Ter Deus como meu guia é não só minha esperança, mas minha firme convicção.

Se você navega no mar da codependência, coloque como meta principal trazer Cristo para o seu barco, pois, mesmo em meio à mais complexa tempestade, quando o Senhor está no barco, ainda que soframos, precisamos confiar que o rumo certo virá dele. E a resposta de Cristo sempre será a melhor para nós.

Conclusão

No decorrer deste livro, você pôde conhecer mais a fundo as drogas mais faladas, mais utilizadas e mais danosas para a sociedade. Ao mesmo tempo, teve a oportunidade de ser apresentado a histórias de superação e de destruição causadas por essas substâncias.

Você pode ser um usuário recreativo, um dependente, um codependente, alguém que tem um amigo viciado ou, simplesmente, tem curiosidade pelo assunto, mas duas coisas precisam ficar claras: primeiro, se você não é dependente químico, isso não o torna nada melhor que ele, porque você também é dependente de algo. Há alguns anos eu sofria de depressão atípica, e vivia escravo de meu orgulho. Eu era dependente de mim mesmo e era tão escravo de minhas emoções e da solidão que o suicídio era a saída mais pensada para acabar com o sofrimento. Ora, que diferença eu tinha de qualquer outro dependente? Ambos éramos viciados, ambos caminhávamos para a morte.

A segunda questão que precisa ficar clara é que existe alguém capaz de arrancá-lo de qualquer vício que o atormente, e esse alguém usa de todas as ferramentas possíveis para libertá-lo. No dia em que decidi tirar minha vida, descobri que existe um homem que foi cravado em uma cruz, que padeceu a pior das mortes, que foi escarnecido, maltratado e humilhado injustamente e, ainda hoje, é ultrajado. Ele removeu minha solidão interior, me deu motivos para viver e me deu a certeza de estar eternamente em sua presença. Nele eu encontrei a liberdade e a alegria que nenhuma substância psicoativa pode dar, e apesar de, por tantas vezes, ser infiel, ele permanece fiel a mim.

No dia em que encontrei Jesus, eu fui morto, mas também fui vivificado e transformado interiormente. Hoje, vivo em um processo de crescimento espiritual, constantemente vacilando, porém continuamente arrependido e sempre perdoado, matando mais de um leão por dia na luta contra o pecado.

E você, é dependente de quê? De você mesmo, de uma substância psicoativa, de outra pessoa? Se percebe que vive na dependência de algo ou alguém, então esse algo o escraviza e você precisa de restauração. Mas, se é dependente de Jesus Cristo, aquele que pagou a sua dívida com Deus, então se alegre e compartilhe com outros essa alegria, porque essa é a única dependência que liberta, dá vida e esperança de um futuro magnífico!

Notas

Introdução

[1] Disponível em: <http://inpad.org.br/_lenad-familia/>. Acesso em: 21 de mar. de 2018.

[2] Termo utilizado para "dependência". Significa literalmente "aquele que foi entregue a outrem" e traduz muito bem o real sentido da dependência química. O adicto, ou "dependente", fica entregue, escravo da substância, que passa a dominá-lo.

Capítulo 1

[1] Disponível em: <https://www1.folha.uol.com.br/cotidiano/2014/05/1455225-risco-de-estupro-triplica-com-embriaguez-diz-levanta mento.shtml>. Acesso em 5 de jul. de 2016.

[2] "Alcohol and crime: A study in social causation". *AJS,* 1918, p. 61- 80.

[3] Disponível em: <http://exame.abril.com.br/marketing/noticias/morre-cauboi-da-marlboro-vitima-da-propria-propaganda>. Acesso em 21 de mar. de 2018.

[4] Disponível em: <http://istoe.com.br/170256_AS+REVELACOES+SOBRE+O+CEREBRO+ADOLESCENTE/>. Acesso em: 21 de mar. de 2018.

[5] Centro Brasileiro de Informações sobre Drogas Psicotrópicas. *Levantamento nacional sobre o uso de drogas entre crianças e adolescentes em situação de rua nas 27 capitais brasileiras.* Escola Paulista de Medicina. São Paulo, 2003.

[6] Disponível em: <www.einstein.br/alcooledrogas>. Acesso em: 22 de mar. de 2018.

[7] C. P. Ferri, E. Castro-Costa, I. Pinsky, M. F. Lima-Costa, M. Zaleski, R. Caetano, R. Laranjeira. "Alcohol consumption in late-life: The first Brazilian National Alcohol Survey (BNAS)". *Addict Behav*, 2008, p. 1598-1601.

Capítulo 2

[1] Disponível em: <https://www.antidrogas.com.br/2012/08/17/metade-dos-dependentes-quimicos-tem-doenca-psiquica/>. Acesso em: 23 de mar. de 2018.

[2] Disponível em: <http://www.polbr.med.br/ano13/prat0613.php>. Acesso em: 26 de mar. de 2018.

[3] Suzana Herculano-Houzel. *O cérebro nosso de cada dia: Descoberta da neurociência sobre a vida cotidiana*. Rio de Janeiro: Vieira & Lent, 2002, p. 112.

[4] Disponível em: <http://www.revistahelp.com.br/materia.cfm?id=196>. Acesso em: 26 de mar. de 2018.

[5] Disponível em: <http://www.brasilpost.com.br/2016/03/10/maconha-trafico-pesquisa_n_9426868.html>. Acesso em: 26 de mar. de 2018.

[6] Disponível em: <http://blogjp.jovempan.uol.com.br/campanha/falando-de-drogas/icami-itiba-responde-sobre-drogas/>. Acesso em: 26 de mar. de 2018.

[7] Disponível em: <http://vejasp.abril.com.br/materia/a-voz-contra-liberacao-das-drogas>. Acesso em: 26 de mar. de 2018.

Capítulo 3

[1] São Paulo: Editora Integrare, 2017, p. 28.

[2] Disponível em: <https://drauziovarella.uol.com.br/drogas-licitas-e-ilicitas/acidentes-de-transito-2/>. Acesso em: 14 de jun. de 2018.

[3] Disponível em: <https://www.researchgate.net/publication/270394774_Mulher_e_Estupro_O_papel_do_alcool_nas_agressoes_sexuais>. Acesso em: 14 de jun. de 2018.

[4] Disponível em: <http://www1.folha.uol.com.br/folha/cotidiano/ult95u75164.shtml>. Acesso em: 26 de mar. de 2018.

[5] Disponível em: <http://g1.globo.com/Noticias/Ciencia/0,, MUL 38112-5603,00-alcool+causa das+mortes+no+mundo.html>. Acesso em: 26 de mar. de 2018.

[6] Magda Vaissman. *Alcoolismo no trabalho.* Rio de Janeiro: Garamond, 2004, p. 185.

[7] Disponível em: <http://www.cisa.org.br/artigo/353/dados-epidemiologicos-sobre-uso-alcool-no.php>. Acesso em: 14 de jun. de 2018.

[8] Disponível em: <http://www.scielo.br/scielo.php?script=sci_arttext&pid=S1413-73722007000100014&lng=e&nrm=iso&tlng=e>. Acesso em: 26 de mar. de 2018.

[9] World Health Organization. *Global status report on alcohol*. Genebra: WHO, 2004.

Capítulo 4

[1] Disponível em: <http://bvsms.saude.gov.br/bvs/publicacoes/vigitel_brasil_2014.pdf>. Acesso em: 27 de mar. de 2018.

[2] Disponível em: <http://www.canal.fiocruz.br/destaque/index.php?id=2228>. Acesso em: 27 de mar. de 2018.

[3] Disponível em: <http://www2.inca.gov.br/wps/wcm/connect/observatorio_controle_tabaco/site/home/dados_numeros/prevalencia-de-tabagismo>. Acesso em: 27 de mar. de 2018.

[4] Disponível em: <http://www2.inca.gov.br/>. Acesso em: 28 de mar. de 2018.

Capítulo 5

[1] *Op. cit.*, p. 33.

[2] Disponível em: <http://www.economiaerealidade.com/2010/12/quanto-custa-1-grama-de-cocaina.html>. Acesso em: 28 de mar. de 2018.

[3] Metade dos alunos de nosso Centro de Reabilitação tinham bolsa total e metade pagava 60% do valor. Todo esse montante era bancado pela igreja.

Capítulo 6

[1] Disponível em: <http://noticias.uol.com.br/saude/ultimas-noticias/redacao/2012/09/05/brasil-e-o-maior-mercado-de-crack-no-

mundo-aponta-levantamento.htm>. Acesso em: 28 de mar. de 2018.

[2] Disponível em: <http://portal.fiocruz.br/pt-br/content/maior-pesquisa-sobre-crack-j%C3%A1-feita-no-mundo-mostra-o-perfil-do-consumo-no-brasil>. Acesso em: 28 de mar. de 2018.

[3] Disponível em: <http://www.scielo.br/pdf/%0D/estpsi/v24n1/v24n1a11.pdf>. Acesso em: 14 de jun. de 2018.

Capítulo 7

[1] Pesquisa realizada entre 2009 e 2011 com 300 internos do Centro de Reabilitação Cidade Viva, na Paraíba.

Sobre o autor

Saulo Ribeiro é pastor de jovens casais e da área social da Igreja Batista Cidade Viva, em João Pessoa (PB). É historiador, especialista em Saúde Mental, mestre em Ciências das Religiões e doutorando em Ciências das Religiões e Teologia pela Universidade Federal da Paraíba. Coordena a área de Prevenção e Tratamento de *Adicções* da Fundação Cidade Viva. É casado com Sabrina e pai de Daniel e Pedro.

Anotações

Anotações

Compartilhe suas impressões de leitura escrevendo para:
opiniao-do-leitor@mundocristao.com.br
Acesse nosso *site*: www.mundocristao.com.br

Equipe MC: Maurício Zágari (editor)
Ana Paz
Felipe Marques
Natália Custódio
Diagramação: Triall Editorial Ltda
Gráfica: Assahi
Fonte: Dante MT
Papel: Polén Soft 70 g/m² (miolo)
Cartão 250 g/m² (capa)